故宫经典 CLASSICS OF THE FORBIDDEN CITY

CARPETS IN THE COLLECTION OF THE PALACE MUSEUM

故宫藏毯图典

故宫博物院编

COMPILED BY THE PALACE MUSEUM

故宫出版社

THE FORBIDDEN CITY PUBLISHING HOUSE

图书在版编目（CIP）数据

故宫藏毯图典／苑洪琪，刘宝建主编．－北京：故宫出版社，2010.6（2020.6 重印）
（故宫经典）
ISBN 978-7-80047-996-0

Ⅰ．①故… Ⅱ．①苑…②刘… Ⅲ．①毯－中国－明清时代－图录 Ⅳ．① K876.92

中国版本图书馆 CIP 数据核字（2010）第 088101 号

故宫经典

故宫藏毯图典

故宫博物院编

主　　编：苑洪琪　刘宝建

撰　　稿：王　慧　万秀峰　付　超　刘宝建　苑洪琪

摄　　影：刘志岗　田明洁

图片整理：杨　喆

出 版 人：王亚民

责任编辑：徐小燕　王　静

装帧设计：王　梓

出版发行：故宫出版社

地址：北京东城区景山前街 4 号　邮编：100009
电话：010-85007808　010-85007816　传真：010-65129479
网址：www.culturefc.cn
邮箱：ggcb@culturefc.cn

制　　版：北京圣彩虹制版印刷技术有限公司

印　　刷：北京雅昌艺术印刷有限公司

开　　本：889×1194 毫米　1/12

印　　张：23.5

字　　数：65 千字

图　　版：251 幅

版　　次：2010 年 6 月第 1 版
2020 年 6 月第 3 次印刷

印　　数：5,001–6,500 册

书　　号：ISBN 978-7-80047-996-0

定　　价：420.00 元

经典故宫与《故宫经典》

郑欣淼

故宫文化，从一定意义上说是经典文化。从故宫的地位、作用及其内涵看，故宫文化是以皇帝、皇宫、皇权为核心的帝王文化和皇家文化，或者说是宫廷文化。皇帝是历史的产物。在漫长的中国封建社会里，皇帝是国家的象征，是专制主义中央集权的核心。同样，以皇帝为核心的宫廷是国家的中心。故宫文化不是局部的，也不是地方性的，无疑属于大传统，是上层的、主流的，属于中国传统文化中最为堂皇的部分，但是它又和民间的文化传统有着千丝万缕的关系。

故宫文化具有独特性、丰富性、整体性以及象征性的特点。从物质层面看，故宫只是一座古建筑群，但它不是一般的古建筑，而是皇宫。中国历来讲究器以载道，故宫及其皇家收藏凝聚了传统的特别是辉煌时期的中国文化，是几千年中国的器用典章、国家制度、意识形态、科学技术，以及学术、艺术等积累的结晶，既是中国传统文化精神的物质载体，也成为中国传统文化最有代表性的象征物，就像金字塔之于古埃及、雅典卫城神庙之于希腊一样。因此，从这个意义上说，故宫文化是经典文化。

经典具有权威性。故宫体现了中华文明的精华，它的地位和价值是不可替代的。经典具有不朽性。故宫属于历史遗产，它是中华五千年历史文化的沉淀，蕴含着中华民族生生不已的创造和精神，具有不竭的历史生命。经典具有传统性。传统的本质是主体活动的延承，故宫所代表的中国历史文化与当代中国是一脉相承的，中国传统文化与今天的文化建设是相连的。对于任何一个民族、一个国家来说，经典文化永远都是其生命的依托、精神的支撑和创新的源泉，都是其得以存续和赓延的筋络与血脉。

对于经典故宫的诠释与宣传，有着多种的形式。对故宫进行形象的数字化宣传，拍摄类似《故宫》纪录片等影像作品，这是大众传媒的努力；而以精美的图书展现故宫的内蕴，则是许多出版社的追求。

多年来，故宫出版社出版了不少好的图书。同时，国内外其他出版社也出版了许多故宫博物院编写的好书。这些图书经过十余年、甚至二十年的沉淀，在读者心目中树立了“故宫经典”的印象，成为品牌性图书。它们的影响并没有随着时间推移变得模糊起来，而是历久弥新，成为读者心中的故宫经典图书。

于是，现在就有了故宫出版社的《故宫经典》丛书。《国宝》《紫禁城宫殿》《清代宫廷生活》《紫禁城宫殿建筑装饰——内檐装修图典》《清代宫廷包装艺术》等享誉已久的图书，又以新的面目展示给读者。而且，故宫博物院正在出版和将要出版一系列经典图书。随着这些图书的编辑出版，将更加有助于读者对故宫的了解和对中国传统文化的认识。

《故宫经典》丛书的策划，无疑是个好的创意和思路。我希望这套丛书不断出下去，而且越出越好。经典故宫藉《故宫经典》使其丰厚蕴涵得到不断发掘，《故宫经典》则赖经典故宫而声名更为广远。

目 录

序 言

黄能馥

中国古毯，长期以来不被我国收藏界重视。在长江以南及中原地区，由于夏季炎热气候湿润、生活习惯等诸多原因，使许多古毯不易流传保存。只有在气候高寒干燥的西北地区，如青海、西藏、内蒙古、甘肃、新疆、宁夏等地，古毯才得以世代相传。经考古发现，收藏在各地博物馆的古毯实物中，最早的为新疆东汉地毯。从现有的地毯实物中可以看出，地毯的生产与编织图案纹样与材料选择，都是和历史的变迁与进步紧密相连的。因其精致的编织技术和图案的富丽堂皇，成为富贵生活与地位的象征。

故宫是明清两代的皇宫，保存着大量的明清宫廷使用的毛织毯。这些具有历史价值和民族风格的艺术品，各方面记载的资料极少。早在20世纪五六十年代，故宫织绣科的同仁们曾对丝、麻、毛等文物分门别类的进行过研究，已故研究员陈娟娟女士就曾搜集了大量的毛毯类文物资料，对其编织工艺和染线色彩等进行过研究。

清代是距今最近的一个朝代，清朝皇宫对地毯的大量需求，使盛产毛织毯的甘肃、新疆、宁夏等地的精美毛毯大量进入宫廷。宫廷造办处下也设立专门织毯的作坊，根据宫殿需要编织地毯。宫廷用毯至康熙、乾隆时期达到顶峰，各种毯在编织、着色、纹饰上带有明显的地域特色。故宫博物院现存的各类毯，为清代不同时期在各宫殿内铺设的实用文物，已有数百年的历史，能保留到现在，实为珍贵。但是，清代宫廷用毯属于消耗用品，用旧随时增添更换。一部分使用过的地毯、炕毯、壁毯，经长期踩踏、铺挂，经过紫外线照射，受过不同温湿度的影响。特别是这批毛毯使用后没有经过清洗，毯面被油污、霉渍、虫蛀、尘土浸蚀严重，多处掉毛，脱色，有不同程度的损伤。

2000年夏秋之际，宫廷部集中人力对这部分极有历史价值的毛织毯进行吸尘、清洁、保养，做了大量艰苦的工作。清理一块地毯能出一推车尘土，一块地毯需要十几个人才能移动。他们知难而进，对尺寸、纹饰、颜色一一核对。根据实地分析、测量、对比等方法，考证出太和殿宝座台前的“木红地双龙戏珠大地毯”、皇极殿慈禧六十岁生日时铺的“万字纹地毯”等历史信息；同时也探索出清代宫廷地毯使用的规律。

最近，读了他们撰写的图文并茂的《故宫藏毯图典》书稿后，感到极大的欣慰和由衷的喜悦。书中比较系统地论述了宫廷藏毯的来源、历史，宫廷毛织毯的种类与特点。特别是该书从宫廷使用的角度研究毛织毯的工艺、技艺，令人耳目一新。书稿的作者在历史文献资料少的情况下，在清代档案的大海中细细捞针，寻觅出宫廷用毯的翔实例证；在宫廷绘画中寻找到历史的蛛丝马迹。为求证不同地域毛毯的编织特点，他们远赴盛产羊毛的甘肃、宁夏、青海、内蒙古等织毯的原产地考察、求教，终于用他们的辛勤劳动填补了院藏毛毯的研究空白，真是可喜可贺。

本书资料翔实丰富，条理清晰，文字简约，图文并茂，具有很高的学术价值和收藏价值，为中华地毯史的研究，做出了重要贡献。

坤宁宫正殿铺黄地缠枝纹栽绒地毯。

清代宫廷用毯的历史与艺术

苑洪琪　刘宝建

毯，作为中华文化的载体，凝聚着中国历代毯匠无穷的智慧和艰辛的劳动，积淀着中华民族高尚的审美情趣和审美理想，是人类文化宝库中的瑰丽奇葩。

我国制毯用毯历史悠久，现存最早的毯，是收藏在甘肃省博物馆的新疆东汉毛毯（残件）。伴随着人类社会的发展与进步，毯已由原来单纯的生活用品，发展成为具有实用和装饰价值的高级艺术品，并被作为永久的艺术品而收藏。而中国毯以其高超的工艺和浓郁的东方特色等，受到世界各大博物馆的青睐。美国纽约大都会博物馆、华盛顿特区纺织艺术博物馆、波士顿艺术馆，加拿大皇家昂特里奥博物馆，英国伦敦维多利亚与奥尔博特博物馆，德国法兰克福手工艺博物馆，俄罗斯莫斯科东方艺术博物馆以及日本东京国立博物馆、京都大学等都藏有中国编织的毯。

明清两代的皇宫，曾经历过“凡地必毯”的辉煌景象。故宫博物院现存近千件明清宫廷用过的地毯、炕毯、壁毯、围墙毯等，至今仍有纤维粗、弹性好、光泽强、抗压力大的特点。这一笔宝贵的财富，为研究宫廷使用毯的装饰风格、编织工艺及所涵盖的文化现象，提供了可靠的实物资料。

但是，在浩如烟海的历史文献中，有关毯的资料记载极少。又因毛织纤维受潮易损伤的特点，年代久远的毯极难保存。宫廷毯有的体积大、质地厚，难以移动、开合，其“庐山真面目”就更难被人们认识，这给毯的研究带来一定的难度，多年来我院在该领域的研究几乎空白。特别是曾经铺、挂过的各类毯，已经受自然界的风蚀、土浸、空气温湿度变化等影响，损坏严重。因此研究宫廷用毯的历史与艺术及其保护是一项艰巨、复杂、迫在眉睫的课题。

本书是第一本关于故宫藏毯的图册，收入故宫现藏明清毯类珍品近百件，包括地毯、炕毯、壁毯等。首次披露了清宫用毯的情况，旨在让更多的人了解清代宫廷用毯的历史与艺术，以及织毯技术的变化与发展。

唐周昉《纨扇仕女图》（局部）中的素地卷草边宝相花栽绒地毯。图中反映了唐宋之际后宫嫔妃生活中使用地毯的情况。

一、古毯溯源

世界上曾有四个国家在织毯和用毯方面有着比较悠久的历史——中国、埃及、印度和波斯（今伊朗）。其中，中国毯以其典型的东方文化和传统的艺术风格，在世界织毯用毯历史上占有重要的地位。

我国用毯的历史悠久。早在三四千年以前，北方游牧部族的先民为防寒保暖、抵御潮湿等生活环境的需要，将动物身上的皮毛剥下作为席褥和盖被。兽皮虽保暖，却容易脱毛且不耐用。当牧民们有了大量充足的羊毛之后，开始捻线织“席”。《说文》曰“席，藉也”，《物原》亦称“毯，毛席也，上织五色花”，“神农做席，尧始名毯”等，书中都记载了远古时期用“毯”的情况与“毯”名称的演变过程。汉代的“丝绸之路”，促进了毯的编织技术从西北到中原的发展。但是织毯技术复杂，成品价格昂贵，往往被宫廷与少数贵族所垄断，“毯席千贝，亦比千乘之家”[1]，毯遂成为少数人才能够使用的奢侈品。

唐代，宫廷设有毡坊和毯坊，专门管理毡、毯的生产，以供统治者使用。宣州有专门为宫廷编织充贡的红丝毯，时人曾有“少夺人衣做地衣”[2]的慨叹。宋代，垂足坐具兴起，生活起居一改席地而坐的习惯，质地松软的“毯”

对皇宫和贵族们有着更大的吸引力。辽金之时，毯几乎成了宫廷专用品。据《北行日录》载，“金中都的大安殿十一间……号为金殿，闻是中宫。殿上铺大花毡，中一间又加以佛狸毯，主座并茶床皆七宝为之”。

到了元代，宫廷用毯的图案和制作更为精美。朝廷设毡毯院局、织毯工场，精选各地的毯匠来大都为宫廷织栽绒毯、回回剪绒毯（新疆毯）、掠绒剪花毯、鞍笼毯（马鞍毯）、针扎毯等，多达二十几个品种。意大利旅行家马可·波罗来到大都，曾惊叹元代宫廷铺陈着世界上最美丽的毯。

明代时，毯的制作和使用有了进一步发展。永乐十九年（1421年），明成祖迁都北京，凡宫廷内院，所有宫殿均铺毯。王公大臣、高官巨贾也无不以毯饰居为时尚。

清入关后，宫廷生活起居仍沿袭前代旧制，毯亦成为不可缺少的生活用品。紫禁城内的宫殿里，从地面到墙壁，从座位到寝床，毯无处不在。佛堂用的拜垫、骑马用的马鞍垫以及宫廷戏台上都铺设各式毯。就连朝廷赏赐王公大臣和外国使臣，也常以各种毯作礼品。由于清统治者对毯甚是偏爱，宫廷用毯不仅较前普遍，更是成为一种艺术品，最终形成其鲜明的时代风格。

二、清宫用毯来源

清代宫廷毯的来源主要有：宫内机构编织、地方承接织造、地方贡进、外国贡品礼品及朝廷出资购买等。

1. 宫内机构编织

早在元朝，宫廷就设有织毯机构，精选各地匠人，专为皇宫编织毛毯。从大德二年到泰定五年（1298～1328年）的三十年间，诸路诸色人匠总管府为上都皇室宫殿、斡耳朵、皇帝影堂织造的毯有十三种之多，其中“回回剪绒毡”，被列为上等品。尤其是元代宫廷织毯用料，将春、秋两季的羊毛以粗毛、细毛适合配比，所织之毯厚且柔软，富有弹性，为其后织毯选料打下良好的基础。

清代满族先祖与蒙古族地域毗邻，生活习惯相似，清太祖率八旗征战时仍以毡帐为殿，殿内地面、墙壁、宝座等都铺挂毛毯。入关以后，于顺治元年（1644年）设毡、毯、帘子三项为一库，额定领催和匠役114名，其中毯匠2名，染匠3名，缠绒匠1名。康熙朝以后，造办处下设立专门作坊，毡毯并入皮作。雍正六年，工部制造库属下的门神、门帘二库，设毯匠9名、毡匠7名、缠绒匠2名、染匠4名，是专织宫廷用毯的御用匠人。[3]另外，根据宫廷用毯的需要，还不定期增加各种临时匠人。如清初曾有许多从事羊毛加工的“藏毛匠”“蒙古擀毡人”入宫；中期，造办处又招募“回回毯匠”进宫织毯。这些工匠都拥有高超的编织技术并擅长染色，为宫廷织毯的品种、花色、质量，提供了保障。他们根据宫廷所需，承接编织整毯，也承担修改、织补的任务。乾隆二十七年（1762年）正月十四日，“传旨，圆明园殿内地平着照养心殿地平现铺毯子一样，抹（采）尺寸交新柱，照尺寸样织回子毯一块送来”。[4]又乾隆三十二年（1767年）十一月十五日，乾隆帝下旨，“将串枝花毯在乾清宫东暖阁铺设，红万字花毯在西暖阁铺设，其毯子面宽富裕处裁去，进深不足处接补，着造办处大人们传工部匠人前来照样接补，四面并门口处要花边，得时沿边吊里”。[5]

织毯工匠为宫廷编织的毛毯，既有殿堂御用满铺地面的大毯，也有用于书桌、座椅、床榻等小型毯；既有工艺简单的素色毯，也有工艺复杂的绛毛毯、盘金银线栽绒毯。用料以羊毛为主，另有丝、金、银等线，尤其是殿堂的大栽绒毯，常以价高于棉线的纯丝线做经纬线，显示了皇家用毯的奢靡。其尺寸、图案、用色是严格按照用途而设计、织定的，既有表现皇权威严、神圣的龙、凤纹饰，又有富

清人画《平定回疆剿擒逆裔战图》（局部）中的红地缠枝莲纹栽绒地毯。

清人画《西苑凯宴图》（局部）中铺设的各类地毯。清乾隆二十五年（1760年）为庆贺平定伊犁凯旋，在西苑（即现在的中南海、北海）举行盛大筵宴，届时搭设毡包和帷帐。毡帐内铺设着蓝地锦纹栽绒地毯，帐外铺黄地缠枝莲纹栽绒地毯，铺陈饰物一如紫禁城宫殿。

意吉祥富贵、万代传承的牡丹、缠枝莲等雍容华贵的花卉纹饰。

2. 地方承接织造

宫廷用毯种类多、数量大，仅紫禁城外朝的太和殿内铺满地毯，就需要两千多平方米。像这样特殊尺寸的毯，宫廷织毯匠的能力是远远不够的。为此，就要根据使用的具体情况，要求地方特织定造。在当时，为宫廷承接编织毛毯的地方，多为善于织毯、以毯为地方贡品的新疆、蒙古、宁夏、甘肃、青海、西藏等地。其程序是，先由清宫造办处的匠人按照皇帝的旨意，将地毯的尺寸、纹饰核实准确后，绘出小样，呈皇帝御览。待皇帝同意后，再交给该地方官，由地方官限时监督编织。

如雍正五年（1727年）八月二十五日（皮作），太监刘希文传旨："（圆明园）万字房通景壁前，着画西洋吉祥草毯子呈览。"十月初一日，郎中海望将"东一路屋内通景画壁前吉祥草花样毯子两张"，呈皇帝御览。雍正帝认为，"周围的万字景边不好，着另画碎花，其底的颜色不必染黄。再圆明园殿上的毯子花样不好，尔等亦画样，俟岳钟琪（时任西北大将军）来时，将此两样交岳钟琪织造。"[6]接受指派而承织宫廷毛毯的地方匠役们，除负责织毯外，其原料、染料都由地方承担。但毯的图案设计、用色、尺寸、样式以及工艺，要严格按宫廷的规定而进行，不得有丝毫的改动。虽然在浓郁的宫廷装饰风格的统一要求下，各地编织的毛毯很难发挥其地方传统工艺，但色度、纹饰走向及毛毯收边等细微之处，仍留有各地不同的编织特点。

3. 地方贡进

由地方承造毛毯的另一种方式是被充作"贡品"进贡皇帝。在封建社会，各地方官都要在其统辖区域内寻觅稀世珍品或土产物品，向皇帝"呈进方物"。进贡名目有日常贡、年节贡、万寿贡等。毯因其费工费时、用料考究、质地柔软、工艺精湛而著称，备受织造、关差、督抚等官员的青睐，被作为地方"上品"贡入宫廷。后金与清代初期，漠北的蒙古族首领就曾将花毯连同驮马、番菩提、数珠、黑狐皮、茶叶、狐腋皮、狼皮等许多物品，进贡太宗。[7]乾隆年间，为庆祝乾隆帝八十岁万寿，于前一年（乾隆五十四年，1789年）十二月二十六日，特旨"阿克苏三品阿布都拉恭祝万寿进金银线毯一块”。[8] 另“乾隆五十九年（1794年）十二月十四日，御前行走喀什噶尔三品阿奇木伯克、郡王伊斯堪达尔等十四人，恭进金银绒毯一块、绒毯四块、毛毯一块。”[9] 此外，福州、苏州、广州等地亦是较常贡毯之地。仅据乾隆、嘉庆年间的《宫中杂件·进单》记载，“乾隆二十六年（1761年）十一月初六日福州将军兼管闽海关事奴才社图肯进漳绒炕毯、漳绒四十五匹、漳缎四十五匹、漳纱四十五匹。”[10] 三十三年（1768年）七月初六日苏州织造萨载进：“四方花毯二块、长方花毯四块”。[11] 三十六年（1771年）七月十七日粤海关监督德魁、德保进“黄地红花毯六匹、红地黑花毯四匹”。[12] 嘉庆三年（1798年）十二月十二日粤海关监督常福进“黄地红花毡三匹”。[13]

地方贡毯的质地、纹饰，往往以民间特有的传统风格编织。如故宫博物院现藏“栽绒黄地锦地毯”“栽绒驼色地双狮绣球毯”“栽绒紫色花卉毯”等，具有明显的宁夏擅长编织的锦纹、蒙古崇尚的狮子滚绣球、新疆的几何花卉纹等地方民俗的艺术特征。新疆毯的纹饰，多以写实的或非具象的植物为主，辅以几何纹交叉重叠，形成对称均衡、排列规则等装饰风格。向宫廷进贡的毯，都是该地地方官选择的地方织造精品，也最能反映清代各地方民间编织的水平。

当然，现存的各类毯是作为地方承接制作，还是定为地方贡进，界限并不分明。由于年代久远，资料所限，很难做到具体区分。而有时皇帝也会谕示地方将承接编织之毯作为贡品，而替代应贡之毯或其他贡品。如乾隆三十四年（1769年）十二月初一日（行文），“库掌四德、五德来说，太监胡世杰交（畅春园）恒春圃地盘纸样一张。传旨：‘跃栏内着按地盘样铺设羊毛毡，约估铺设几块，量准尺寸发往苏州照尺寸织做绿素毡，算进贡。其贡内进羊毛花毡不必呈进。钦此。’”[14] 这又大大增加了区分的难度。

4. 外国贡献及朝廷出资购买之西洋毯

故宫博物院现存众多毯中，尚有一定数量精美的西洋毛毯，其风格与中国所编织的东方毛毯风格迥然不同，其来源为外国以贡品或礼品的形式献给清代皇帝以及通过中外贸易购得。

清入关以后，随着国势的增强，与西方及周边国家的交往愈益频繁。这些国家时常将各种不同质地的毛毯，以贡品或礼品的形式献给清代皇帝，其浓郁的异域风情受到了皇帝的喜爱。洋式毛毯分别来自荷兰、意大利、英国、法国，以及安南（今越南）、暹罗（今泰国）、缅甸等国。品种有各色“哆罗呢”、织人物花毡，还有花纹繁缛的波斯毯、艺术壁挂毯等。

顺治、康熙、雍正时期，荷兰曾多次向中国进贡“哆罗呢”，仅康熙二十五年（1686年）的一次进贡中，就有“大哆罗绒（呢）十五匹、中哆罗绒（呢）十匹、织金大绒毯四领……”[15]，数量非常可观。

乾隆时期，西洋毯子的数量与品种日趋增多，甚至还有出自名家之手的精品。如法国路易十六时期的首席宫廷画家布歇（1703～1770年）所设计的一套壁毯。布歇是著名的工艺美术家，曾在波维和巴黎皇家葛布兰壁毯工厂任职。他以柔媚的画风设计了一套名为“中国色彩”的壁毯，被法王路易十六作为礼物送给了乾隆帝。乾隆帝对此套毯非常喜爱，三十二年（1767年）为张挂这套壁毯，他曾下旨对圆明园远瀛观内部大肆改造。虽然这套壁毯在1860年英法联军侵华时与圆明园一起被烧毁。但从现存的零星资料中，仍可以想象出该套毯的华美。[16] 乾隆五十八年（1793年），英国派遣马戛尔尼使团，以为乾隆帝祝寿为名来到中国，在其进献的珍奇异宝中，就有金毛

清人画《胤禛十二月景行乐图·正月册》（局部）中蓝地缠枝莲纹栽绒地毯，反映了室外娱乐活动中地毯的使用情况。

毯数匹、大毯数匹。[17]

带有浓郁异域风情的西洋毯，以色彩艳丽、图案丰富、质地细密等特点，深得皇帝喜爱，并由此促成了中西贸易中，用于做毯的毛织呢材料的贸易量日益增加。乾隆帝曾多次下令粤海关征买洋緞洋毡，仅乾隆二十一年（1756年）就先后传办三次：一次要买外国黄地红花毡、红地黑花毡；一次要买蒙古包不拘花样四色毡子；还有一次要买不拘花样、颜色猩猩毡十块。[18]

清宫用毯数量之多、种类之丰富，得益于多渠道来源。各地织毯工艺有别，装饰风格各异，从而形成宫廷用毯繁花似锦的局面。

三、纹饰与色彩

毯的纹饰出现于什么时代？尚不可考。想必古人在享受毯的舒适、温暖的同时，又感到单调，由此萌发了创作有纹饰花毯的动机，使毯由崇尚单纯的实用效果发展到追求纹饰精美、色彩多变的艺术效果。毯的纹饰的出现，与史前时代的彩陶、殷商时代的青铜以及春秋至秦汉的许多文物和纹饰一样，是对精美纹饰的主动认识与掌握，表明了中华民族是追求“美”、创造“美”的民族。

1.纹饰

毯向有“远看颜色近看花”之说，清代毯的纹样更是“言必有意，意必吉祥”。为表达美好意愿将一件物体或一组图案用吉祥之名加以诠释，清初早已广泛使用。昭梿在《啸亭续录》卷三载，“康熙朝有富贵不断、江山万代、历元五福诸名目”。[19]然而，清代宫廷用毯的纹饰在表现富贵长久的同时，又融入象征皇帝权利的“龙纹”、代表皇后的“凤纹”及曲水纹、缠枝纹、几何纹等，形成清代宫廷用毯固有的风格和特有的专用纹饰。这种纹饰，一是与宫廷建筑的整体环境紧密相连，毯的花样纹饰直接取材于宫廷的建筑装饰。如“织绒紫地黄云龙墙毯”（930×260厘米）纹饰中的龟背纹与太和殿外的琉璃墙竟相一致；二是毯面的主要纹饰为龙或凤，吉祥纹饰则环绕周围。纹样在题材组合上虽有牵强之势，其艺术韵味也未免流于俗气。但这些纹饰组合既显示皇帝统治天下、皇权连绵不断、源远流长，又有多方向化的政治含义。综观故宫博物院现存诸毯，云龙纹、缠枝莲纹、锦纹、吉祥纹等都极具宫廷特色。

龙纹

龙是中国的神兽，被视为中华民族的图腾，具有至高无上的地位。龙纹在我国工艺美术中广泛应用，经过历代工匠的加工演变，其形象从古人虚构想象到逐渐具体。明代的龙，牛头、蛇身、鹿角、虾眼、狮鼻、驴嘴、猫耳、鹰爪、鱼尾。到了清代，龙角似鹿、颈似蛇、鳞似鱼、爪似鹰、掌似虎、耳似牛。明清宫毯中的龙纹饰有团龙、坐龙、行龙、升龙等各种形态，与龙纹相匹配的有五色斑斓的祥云、八宝、杂宝、海水、江崖等纹饰。

明清时期，五爪金龙成为皇帝专用的纹饰，象征权力与富贵，在民间百姓中充满神秘之感，体现了人们对“龙”的崇拜。龙被赋予了“天子化身”的新内涵，成为封建皇权的标记和御用纹样。尊龙纹、辨等级，围绕着皇帝的衣食住行，龙的形象无处不在。乾隆三十四年（1769 年）三月二十九日，造办处皮库库长四德、五德等将画得乾清宫五条龙地平毯合牌样一座，并踏跺（地平台阶）上画得番草样、云龙样持进交太监胡世杰呈览。乾隆帝下旨：“地平毯照样织做，其踏跺上毯子，准云龙样织做。”清代宫廷写实画《万国来朝图》《光绪大婚图》等，也有太和殿、皇极殿内铺设龙纹地毯的描绘。拍摄于清代晚期的《清国皇城写真帖》中，太和殿、中和殿、保和殿和皇帝处理政务的乾清宫都有殿内满铺龙纹地毯的旧照。现存“栽绒木红地正龙地毯”，曾经铺设在中和殿地平台上的，毯面上宝座、屏风、香筒、甪端摆设的痕迹仍清晰可见。再有，故宫博物院现存多件尺寸相同的“栽绒木红地双龙地毯”，或四角挖有弧形的缺口，或留有地平踏跺边口、大殿门口等异形的地毯边。这是当年为使地毯铺就挺括平贴，在编织地毯时就设计出避让殿柱础、殿门槛、门扇合页墩等缺口边。

在这批同纹饰的地毯中，有一件尺寸最大（10.22 米 × 6.6 米）、龙纹巨大的地毯，其间柱痕迹很多、毯面纵向两端异样——顶端有延伸的条状接织部分，底端多处凹凸。经过对地毯挖弧直径、缺口尺寸的逐件记录，然后再与三大殿殿柱柱础直径、踏跺凹凸边口一一进行核对，确认了这件异形的“栽绒木红地双龙地毯”是铺在太和殿进门口至地平台前的那一件。地毯留下的种种遗迹，为考证该地毯的历史价值提供了有力的证据。可以想见，清代的太和殿内，顶上雕龙形的藻井、彩绘的龙纹天花及髹金漆的龙纹宝座、龙纹屏风，与满铺地面的龙形苍劲、体态回旋的地毯融为一体，交相呼应，给人以直观、立体龙的视觉效果，更加突出了龙的化身——皇帝的神圣与威严。

除地毯外，形态各异的龙纹还出现在炕毯、墙毯和座毯中，“织绒紫地黄云龙墙毯”“栽绒黄地盘龙靠背毯”“红漳绒云龙炕毯”等都完好的保存着。清代晚期，“甘肃劝工局恭制”的“栽绒黄地龙凤轿帘毯”，凤在上、龙在下，是龙以前所未有形态出现。究其原因，不外是统治阶级思想观念下的审美理念。

太和殿内下肩墙上的龟背纹绿色琉璃瓷砖（局部）。建筑上的这一纹饰，被借鉴到宫廷制作画毛毯的图案设计中。

清紫地云龙纹织绒墙毯中的龟背纹（局部）。毯中纹饰与太和殿内外墙中的琉璃龟背纹极为相似。

1915 年，日本皇家摄影师小川一真拍摄的保和殿满铺栽绒地毯的情景。保和殿为三大殿之一，因殿内地面宽阔，需要数十件栽绒木红地双龙纹地毯连接铺设，以此可见三大殿用毯之盛况。

清范宽画《光绪大婚图》（局部）中太和殿内铺设的黄地龙纹地毯的情况。

《明朱元璋像》中的红地锦纹五彩花纹栽绒地毯。地毯花纹是在锦地上饰龙纹，锦纹与龙纹于一毯，寓意深厚，再现了皇家地毯的华美之至。

《清弘历像》中铺设的红地五彩锦纹栽绒地毯。

缠枝莲纹

莲花又名荷花，中国传统纹样之一。早在周代的诗歌中，以荷花喻女性之美，荷与蒲草相提，象征男女之间的爱情，后世将莲花、莲子合称，寓意生育、多子。古代文人墨客也爱莲，称其有“出淤泥而不染，濯清涟而不妖”的高雅清洁的品质。唐代与外域文化的交流，兼容并蓄，莲花被赋予了枝叶婉转、盘旋流畅的艺术形象和连绵不断的吉祥寓意，称之为“缠枝莲”。清代宫廷毛毯上的缠枝莲枝蔓缠绕，柔美祥和，与紫禁城内琉璃墙角花、汉白玉石台基、木质家具、丝织品中的莲花纹相比，花形更加繁复，枝蔓更加盘曲。

宫廷的佛堂、道殿等祭祀场所铺设缠枝莲纹饰的地毯，清代祭祀萨满教也铺缠枝莲纹饰的地毯。坤宁宫现在铺的栽绒黄地缠枝莲地毯，就是按照清代坤宁宫祭祀档案记载复制的。在宫廷绘画中，有很多关于缠枝莲纹饰毯的描绘，如《万树园赐宴图》（毡帐内）、《西苑筵宴图》（毡帐外）地毯上的缠枝莲纹饰十分清晰。现存文物中“绿地漳绒缠枝莲壁衣”“毛毡画缠枝莲炕毡”“黄漳绒缠枝莲飞鹤圆地毯”等，都展现了缠枝莲纹饰在各种毯中的形象。

故宫现存缠枝莲纹饰的地毯数量比较多，大部分明显的有避让殿柱础而挖有弧形缺口的痕迹。由此推断，缠枝莲纹饰地毯比龙纹地毯使用的范围更广泛，不仅用于宫廷政务殿堂，也用于宗教和娱乐场所。

清绿地三多勾莲纹妆花缎（局部）。这是宫廷织物中的一种莲花纹饰，以花形饱满、色彩明丽衬托出织物的华美。清宫地毯上多仿制五彩莲花纹，同样收到富丽堂皇的视觉效果。

锦纹

锦纹以几何纹骨架中饰以团花，外环绕六瓣旋涡形及四瓣如意头皮球花，规整工致。几何纹是各种直线、曲线及圆形、三角形、方形、菱形等构成规则或不规则的纹样。其构图方法有二方连续和四方连续两种。二方连续，又称“带状图案”，纹样单位能向左、右连续，或上、下连续成一条带子样的图案。其纹样排列的方法很多，有均齐的排列、平衡的排列，也有混合的排列。四方连续，即纹样单位向四周重复地连续、延伸和扩展的图案，可分为梯形连续、菱形连续、四方形连续等格式。传统的纹样呈四周放射形状或旋转式的纹样，有大团花、小团花、卷草等。锦纹图案骨架组成波曲状的花草纹样，方中套圆，或方圆结合。此外，还有以八边形为中心的八达晕、向外连展图案，中心为主花，四周遍以各种几何纹作装饰，呈繁花似锦状，是古代织锦中最为流行的天华锦纹样。还有以六边形为骨架组成四方连续的几何图案，即锁子纹，多做地毯的边部纹饰。

在明清两代皇帝朝服像中，曾描绘出多样锦纹地毯：四周放射状旋转式、方形回环式、大团花间隔小团式……在现藏品中，存有明代与清代不同时期的锦纹图案地毯多件，仅有四周放射状旋转式的锦纹地毯实物与宫廷绘画相互印证，足见其图案的普及与流传渊源。

吉祥图案

吉祥图案起始于商周，发展与唐宋，鼎盛于明清。它们所表达的含义——富、贵、寿、喜四个内容（即有权力、功名、财富、收获、平安、长寿、婚姻、多子多孙等美好的寓意与象征），已成为认知民族精神和民族旨趣的标志之一，是中国传统文化的重要组成部分。

清代宫廷地毯吉祥图案的题材十分广泛，花草树木、蜂鸟鱼虫、飞禽走兽，在高超的织毯工匠们的手下，用经纬线编织代替了绘画。尤其是宫廷毯在综合当代刺绣、绘画、陶瓷、木雕、石刻等各种艺术的基础上，不断吸收新疆、宁夏、蒙古、西藏各式地毯纹饰的精华，经造办处活计作坊的匠役们精心设计，貌似平凡，其中不乏精美的艺术。如在传统的云、花鸟纹的基础上融汇印度佛教的狮子、莲花；在西域伊斯兰教植物、花果纹饰中加以道教的暗八仙以及民间艺术象征的长生不老、安居乐业、多子多孙、乐叙天伦、吉祥如意、荣华富贵等名目繁多的寓意、谐音等纹饰。宫廷地毯最常见的就是围绕“万”“寿”“富贵”为主题多以纹样形象表示，万福万寿的菊花、石竹、灵芝、仙桃、橘子等花卉果实；象征福、禄、寿的飞禽瑞兽仙鹤、绶带鸟、梅花鹿、蝴蝶，表现荣华富贵的凤凰、牡丹、双喜字等。此外，宫廷地毯还有琴、棋、书、画和梅花、兰草、竹、菊花图案组成的“博古图”和“四君子”等崇尚清雅、文人气息浓厚的图案。如清人画《塞宴四事图》中内侍表演摔跤铺用的云鹤纹地毯即是其中的一例。这些纹饰在地毯的设计上，有两种以上或多达到十余种的纹饰相互组合，使其既符合纹样新颖协调，又突出吉祥寓意。如“金银线地玉堂富贵栽绒壁毯”，以玉兰花、海棠花、牡丹花及灵芝、竹子、太湖石、蝴蝶等图案组合在一起，寓意“玉堂富贵”。毯子的结构是以彩色羊毛做经纬，以彩色丝线拴绒头，金银线盘结在不栽绒的地纹上，金银光泽的空地衬托着各种彩色的丝栽绒花纹，从不同的角度欣赏，呈现出不同的色光，好像使人们置身于开阔的境地，而朵朵鲜花浮在空间，金光闪闪，富丽堂皇。清代，新疆生产的盘金盘银毯子较为兴盛，这是该地区专为清代皇宫编织的贡品。

2. 色彩

毯是重视视觉效果的艺术品。清代宫廷毯不仅纹饰精美，更讲求色相的对比之美。毯的美观与否，重要的因素在于颜色的搭配。宫廷毯采用了天然染料，以红、黄色为主，在色彩的对比中求得协调统一。天然染料，除了少数矿物和动物来源（比如胭脂虫），绝大多数都源自植物。天然染料是复合的，颜色之间有色调的重叠，组合在一起呈现出和谐的色彩。随着时间流逝，自然之色愈加柔美。如交泰殿地平铺设的“栽绒双凤戏牡丹毯”，木红地色的毯面，五颜六色的一凤一鸾双双似飞，正中一朵盛开的牡丹花，四周环以如意云、朵云。色彩以黄色为主调，点缀棕色、石绿色、石青色、淡黄色，色彩明度上的变化，凸显柔和，稳重而亲切。同时毯面以木红色为底色的三大殿龙纹地毯，多采用对比色相配，分别为蓝色、明黄色的双龙纹饰，及穿插在龙纹间的祥云、杂宝、海水、江崖，均选用朱红、石绿、绯、褐等多彩的缤纷颜色，地色、花色相比既明确又和谐。再有“缠枝莲纹地毯”的底色亦为木红色，缠枝莲花却用石绿、墨绿、天蓝、淡粉、赭石、白色等，再用黑色圈边，颜色协调，赋予立体效果。红、黄色属于暖色调，营造了蓬勃向上的气氛，是紫禁城的主色。这种神奇色彩的变化效果，是染料中酸性、弱酸性物质与空气接触所起的变化而出现的。但宫廷地毯的红、黄两种颜色在对比色中取得了辉煌之气，与紫禁城建筑的红墙黄瓦融为一体。

宫廷地毯的纹饰与色彩，是根据地毯的使用和装饰变化的需要而确定。当然，为了展示帝王的精神需要与审美需求，也采用一些“添加”的手法，使之更加装饰化或寓意化。但是，各个时代社会环境与人文环境的不同，造成了对艺术的不同审美取向。清代宫廷地毯的纹样、色彩虽丰富多样，但其风格还是统一在清代文化发展的总体背景之下。

四、宫中用毯礼俗

毯是清宫生活中不可缺少的重要组成部分，其质地之精、纹饰之美、数量之多更为前代所不及。地毯、炕毯、

清紫红万字边博古纹栽绒地毯中的吉祥纹饰（局部）。毯中有象征富贵的牡丹花、寓意清洁高雅的玉兰花以及杂宝纹。

清米色地菊花边双狮戏球栽绒地毯中的四合云纹（局部）。

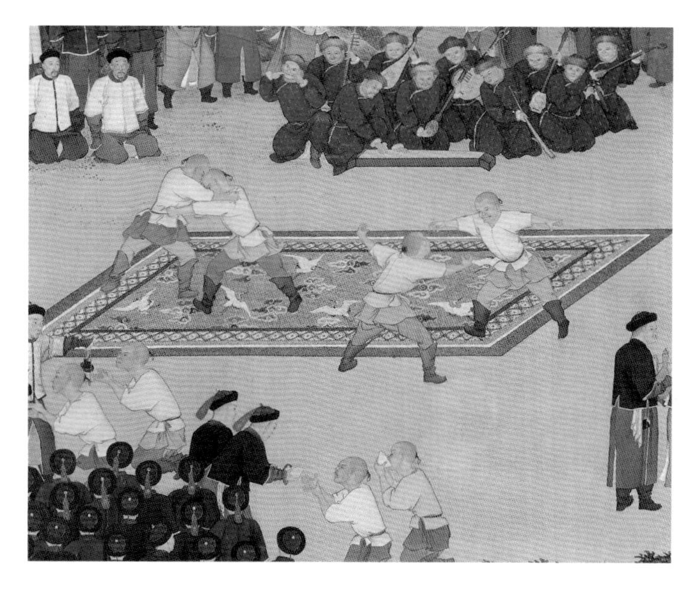

清人画《塞宴四事图·弘历阅贯跤》(局部)中的香色地云鹤纹栽绒地毯。图中描绘乾隆皇帝一行于塞外观看内侍们在毛毯上表演摔跤的情景。

壁毯、桌毯、椅毯、宝座毯、马鞍毯，就连冬天挂在窗户上挡风的垂帘（又称窗户挡），也用毯子。乾隆帝即位之前所作的《冬夜偶作》[20]诗中，有“垂帘在氍毹”之句。清代宫廷用毯首先表现出来的是随意性，即在何地用何毯要秉承皇帝个人的意志，但是其中还是有一定规律性可循的。总的来说，清宫用毯体现出随意性与规律性相互交织的特点。

1. 随意性

在皇权至高无上的时代，清宫用毯如与建筑装修、室内陈设一样，一切都要秉承皇帝个人的意志，体现出很大的随意性。在某宫殿使用某纹饰的毯要秉承皇帝个人的旨意。如雍正帝曾制止过殿内铺龙纹毡毯，“铺地龙毡与人脚踏不宜。将现有龙毡另有用处且用，嗣后不必做毡”。铺什么样纹饰的地毯合适呢？“尔等传与海望画花毡样呈览，朕看准照样成造”。十多天后，海望将所画的四张不同花卉毡毯纹样进呈御览。雍正帝认为：“此花毡样俱好，但花纹太细了，恐其难染。尔将此样收着，或做坐褥、或做毡子时用。再照龙形大小改画花卉毡样呈览。”[21]而乾隆帝对龙纹毯情有独钟。乾清宫地平上一直铺设的是“栽绒木红地五条龙地平毯”，至乾隆三十四年已“粗糙残旧”。乾隆帝命额驸福隆安去查看，福隆安奏报“乾清宫龙毯实属旧像，应另行织换”。数日之后，造办处皮库库长四德、五德等将乾清宫五条龙地平毯及踏跺（地平台阶）毯备选的“番草样”“云龙样”两种画样，一起交太监胡世杰进呈皇帝御览。乾隆帝看后下旨：“地平毯照样织做，其踏跺上毯子准云龙样织做。”[22]

毯用在哪座宫殿、哪个位置，往往都要直接秉持皇帝的旨意。如乾隆二十六年（1761年）四月初九日，员外郎安泰等面奉旨：“新建水法十一间，楼下北明间二间，南明间二间，四面具用苏州织来白毯子，照原来西洋毯子着郎世宁等仿画。有现挂西洋毯子不合尺寸，亦着画。再，三间楼下西进间东墙一面，也着照样画。”[23]不仅地毯如此，挂壁毯也是严格遵照皇帝旨意。同年五月初二日，造办处行文处来文，“将梵香楼现挂三面壁衣着摘一件来呈览。钦此。”第二天，太监胡世杰交壁衣一件，并传皇帝旨：“着交安宁照样成做壁衣二件送来，身份、颜色、花纹、款式不可错了。钦此。”同年十二月二十五日，苏州将两件壁衣织成送到，送皇帝呈览。乾隆帝旨曰：“着在含经堂挂，将换下来壁衣二件在热河安挂，尺寸不符着改作。钦此。”[24]皇帝连身份、颜色、花纹、款式都要交代，可谓“事无巨细”了。

按照一般规律，皇帝处理政务、日常办公的地方应铺设带有龙纹的明黄色炕毯。但现存文物中却有一件“红呢绣花炕毯”，是乾隆年间在养心殿铺用过的。炕毯背面黄条墨书：“乾隆五十二年（1787年）十月养心殿内交旧红呢绣花毯一块，绸里长一丈一尺四寸、宽八尺三寸。”“黄条”是当年皇帝身边的太监们为皇帝收、付物品而随手记下的，它真实地记载了乾隆时期在养心殿曾铺的红呢绣花炕毯的使用历史。

此外，某地在某特殊时刻铺用何种毯子，皇帝也有明确的“旨意”。如乾隆二十五年（1760年）十一月初九日，乾隆帝下旨：“正大光明殿地平并踏跺上用安宁进的毯子，着沿青布边，摆宴时铺此毯子，不摆宴时仍铺猩猩毡，其毯子向圆明园要。”[25] 虽然档案中没有记载，安宁进的是什么样、什么纹饰的毯子。但安宁是苏州织造府的官员，其毯子肯定是苏州编织的，并是乾隆帝的喜爱之物。所以，这样区区小事，皇帝都要下旨决定，可见宫廷用毯与皇帝的偏爱与选择有直接的关系。

更有甚者，宫中曾出现过将地毯改作墙毯、墙毯改作地毯的“趣事”。乾隆四十五年（1780年）圆明园含经堂搭盖五合蒙古包，乾隆帝通过太监额鲁里传旨，蒙古包“中间前厅新做白底押红花毡里围墙拆下，在养心殿东暖阁铺地用，将东暖阁现铺黄地红花毡仍在蒙古包内做里围墙用”。[26]

综上可以看出，清代宫廷在毯的使用上，并未形成严格的制度，有着很大的随意性。在何时、何地，铺用何种纹饰的毯子，往往要直接秉承皇帝的旨意，取决于皇帝个人的喜好。

清人画《万国来朝图》。此图中有外国使者千里迢迢进呈地毯而来的情景，是西方向清朝廷进贡地毯的真实写照（左图局部）。

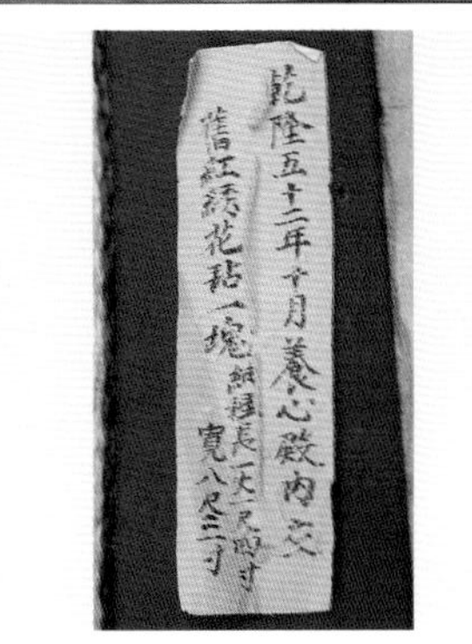

养心殿内铺设的黄地莲纹地毯。

清红地花卉纹毛呢坑毯中的黄签。这件红地花卉纹毛呢炕毯中黄签上墨书的内容，传达了在养心殿使用的信息，打破了皇帝居住之所以黄色龙纹为标志的观念。

2. 规律性

清宫用毯有着很大的随意性，却还是有某些规律性可循的，主要是纹饰与色彩方面。虽然并没有明文规定在哪个宫殿里使用何种纹饰的毛毯，但是却不能随意铺设。紫禁城与皇家园囿内的建筑，因其地理位置、使用功能以及内外装饰的不同，所用毯的纹饰与色彩亦不同。

时代	铺设地点	纹饰	资料来源
乾隆朝	太和殿内	龙纹	《万国来朝图》
乾隆朝	太和殿内	团龙纹	《万国来朝图》
乾隆朝	皇极殿内	团龙纹	《万国来朝图》
光绪朝	太和殿内	龙纹	《光绪大婚图》
康熙朝	书房	彩云双龙纹	《康熙便服写字像》
雍正朝	书房	花卉纹	《雍正读书像》
雍正朝	庭院	宝相花纹	《雍正十二月行乐图》
乾隆朝	避暑山庄毡帐内	缠枝莲花纹	《万树园赐宴图》
乾隆朝	避暑山庄	云纹、鹤纹	《塞宴四事图》
乾隆朝	围场黄帐前皇帝座位下	缠枝莲花纹	《围猎聚餐图》
乾隆朝	冰床内外	双龙纹、海水江崖纹	《冰嬉图》
乾隆朝	御幄前	宝相花纹、缠枝莲纹	《西苑凯宴图》

一般说来，紫禁城的太和殿、皇极殿等礼朝功能或是皇家举行重要活动的殿宇多为龙纹毯，皇家园囿及内廷寝宫等处则以花卉纹饰毯为主。

故宫博物院现存大量清代宫廷绘画中，有许多关于宫廷用毯的描绘（见下表），充分反映了这一规律。

五、宫中用毯之节俭

清宫用毯数量之大，为前代所不及；织毯工艺复杂、价值昂贵，清代皇帝对毯也格外珍惜，十分节俭。雍正帝曾用康熙帝用毯节俭的事例教育子孙与廷臣："皇考临御六十余年，躬节行俭。宫廷地毯用至三四十年，犹然整洁。服御之物，一惟质朴，绝少珍奇……用特书此，以诏我子孙。"[27]乾隆皇帝使用毯子，更是爱护有加。比如对于某些质地、纹饰较好的毯子，只有年节或宫廷筵宴时候才会拿出来使用。如前所引史料：乾隆二十五年（1760年）十一月初九日，乾隆帝下旨："（圆明园）正大光明殿地平并踏跺上用安宁进的毯子，着沿青布边，摆宴时铺此毯子，不摆宴时仍铺猩猩毡，其毯子向圆明园要。"[28]圆明园正大光明殿摆宴之时才用安宁所进的好毯子，平时就只用量多价廉耐用的猩猩毡。

现藏于中国第一历史档案馆的清宫内务府造办处《活计档》中，还有大量记载了皇帝节俭使用宫廷毛毯的事例与保护毯子的方法。其中，为毯子镶边、挂里（里衬），以保护毯边、毯背，延长毯子的使用寿命；将旧毯子拆大改小反复使用，是极为常见的。

1. 包镶毯边

地毯、炕毯长期使用，边、背部最容易受到磨损。尤其是栽绒毯，边部损伤直接伤及栽织的绒毛。为保护毯子，宫里通常要在毯子四周包边，在毯背覆一层里衬。对于包毯边所用材料、颜色及边的宽、窄，皇帝都交代得十分明确。如乾隆二十六年（1761年）十一月十九日曾传旨"寿安宫地平上栽绒毯子原系黄布边，今着鞔黄缎边"。[29]乾隆三十年（1765年）四月二十九日旨"坦坦荡荡明间现铺毯子沿七寸宽素毯子边，东稍间、次间着铺素毯子沿青布边"。[30]又，乾隆三十年八月二十八日"总管潘凤、王忠交栽绒地平花毯七块。旨：着镶金黄布边刷，在储秀宫、永和宫、翊坤宫、景仁宫、永和宫、承乾宫、钟粹宫地平上铺"。[31]在乾隆帝指示包边的毯子中，有旧毯也有新毯，毯子包边的材料有缎也有棉布，与故宫博物院现存文物的包边现状完全吻合。

2. 添织接补

宫内殿堂内满铺地毯常常有遇到柱础、门口需要挖圆、留出凹口之处。但是，毯子是由经纬线纵横交织而成，挖圆或留凹口或大、或小，都是十分难以把握的工艺。因而，毯子局部需要添织接补的事情经常发生。

如乾隆三十二年（1767年）十一月十五日造办处皮作交来"米色地五彩串枝莲花毯一块，黄地万字花毯一块"。乾隆帝看后曰："将米色地五彩串枝莲花毯在乾清宫东暖阁铺设，黄地红万字花毯在乾清宫西暖阁铺设。其毯子面宽富裕处裁去，进深不足处接补。着造办处大人们传工部匠人前来照接补。"同时还要求"四面并门口缺处俱要花边，得时沿边吊里"。[32]皇帝旨意不能违背，造办处工匠只好先画出所需毯子的原大纸样，并在纸样挖凹的门口、柱顶露石处按照乾隆帝"要花边"的旨意，画出了葵绿、黄、蓝三色边。乾隆帝"御览"纸样后，下旨："床下花边不去，其余三面花边拆去，续接经纬，接缺处补织……其门口柱顶露石处俱用绿色押（压）边。"[33]

像这样续接补织地毯的旨意，档案中还能找到更多的

清米黄地缠枝纹边栽绒炕毯的缎包边图（局部）。

清紫地五枝花纹地毯背面的包黄布边图（局部）。

记载：乾隆三十四年（1769年）正月，额驸福隆安、内务府大臣三和奉旨："乾清宫东暖阁现铺花毯俟过节后持出交苏州，按接缝处往好里另接。"[34]同年三月初三日，造办处郎中金辉按照乾隆帝的旨意督办接织乾清宫五条龙地平毯。接织的效果，乾隆帝非常关心。他亲传旨意叮嘱金辉"(旧）龙毯织的粗，现接织毯子要与（旧毯）一样做法"。[35]

现存地毯中亦有"双龙戏珠地毯""杏黄地栽绒万字锦纹地毯""栽绒紫万字团寿地毯"等多件，有挖的缺口过大又经过续接织补的；也有挖缺口太小，剪裁后没有按照经纬线的程序接织，用缝纫针穿毛线将破边锁住的。尤其是"栽绒白地蓝团万寿字地毯"，在整件毯子的四分之一处挖出一个"八字型"缺口，显然是为避让摆设而为。缺口部位用棉线锁边，有明显的刻意编织痕迹。

3. 拆改使用

对于糟旧、破损严重的毯子，无法修补的，往往要采用大拆小的方法，改为他用。如乾隆三十四年（1769年）五月十四日，乾清宫东暖阁使用的花毯破损严重。乾隆帝一边下旨织一新毯铺设，一边让"换下花毯边一块持进养心殿呈览"。看过换下花毯边后，下旨："着持出用旧边旧里成做，其换下花毯边分(从)中裁开用在两头，中间截至凑长一丈三尺、宽九尺花毯一块，两边亦要花边。先画样呈览。"一个月后的六月十七日，库掌四德将接织的乾清宫换下花毯持进，交太监胡世杰呈览，乾隆帝下旨："着沿边吊里得时交万寿山三样楼或大报恩延寿寺铺设。"将旧毯子拆改后继续使用的例子很多：乾隆三十五年（1770年）七月，泽兰堂西二间殿内用新羊毛花毯换下糟旧的毯子，乾隆帝下旨，将"其换下的旧毯交万寿山"。同年十一月二十三日，西苑瀛台涵元殿换下旧毯一块，乾隆帝又下旨"换下旧毯在北海看地方铺……"。[36]乾隆三十六年（1771年）十二月，"库掌四德五德将养心殿换下旧洋（挂）毯一件持进，交太监胡世杰呈览，奉旨'着交圆明园总管看地方挂'。"[37]

不仅如此，拆改剩下的毯子边也不浪费，留作他用。如乾隆三十五年（1770年）三月初六日（钱粮库）库掌将苏州织造萨载送到接织毯子一块、旧毯子边三块交太监胡世杰呈览，奉旨"毯子一块交三和，其旧毯子边三块作材料用"。二十九日，"太监胡世杰交花毯边三条，系苏州送到回残。传（乾隆帝）旨：'着好生收贮，钦此'。"[38]

毯是重视视觉效果的艺术品，将旧毯心、毯边的纹饰布局合理、拼接得当，仍能给人以赏心悦目的美感。若是花毯图案偏颇、比例失调，即使拼接毯子的工艺再好，也是很尴尬的作品。虽然宫廷毯有很多精品传世，但在使用上要符合皇帝的旨意，对铺设地点为所欲为，不顾及毯子精美的纹饰而裁宽、接长也是不得已而为之。这就不难理解宫廷档案记载皇帝对毯子的反复论述，及故宫现存毯子图案纹饰不协调的现象了。

结语

一件精品毯，综合了设计、用料、编织、纹样、染色、配色、品种的开发与创新等多种因素而评估定论的。清宫用毯中，地方进贡毯、外国进呈的礼品毯、或朝廷订购的洋毯，多为各产毯区上乘之作，一经汇集到宫廷后，即成为织毯技术的最新信息传入宫中，为清宫提供了先进的工艺。与此同时，清宫织造各类毯，通常是皇帝以御旨的形式进行督造，在这一运作的过程中，清廷中备有技术娴熟的优秀毯匠，任用画技一流的西洋画师与朝廷资深名画家设计图案，或直接彩绘花纹，用料不计成本，并不断借鉴民间、国外的各类上乘织品的技术完成的。基于上

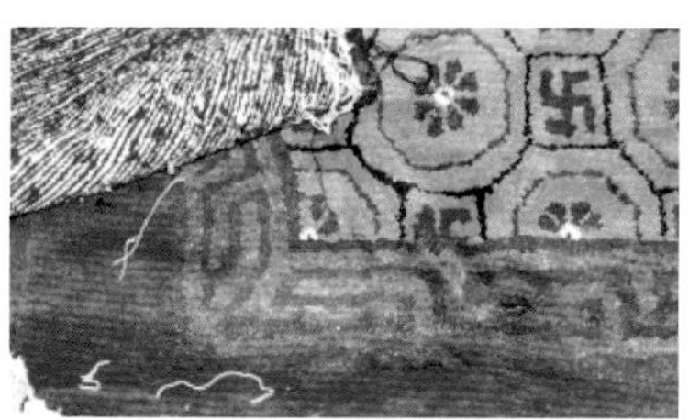

清杏黄地万字边龟背纹栽绒地毯（局部）接补的情况。

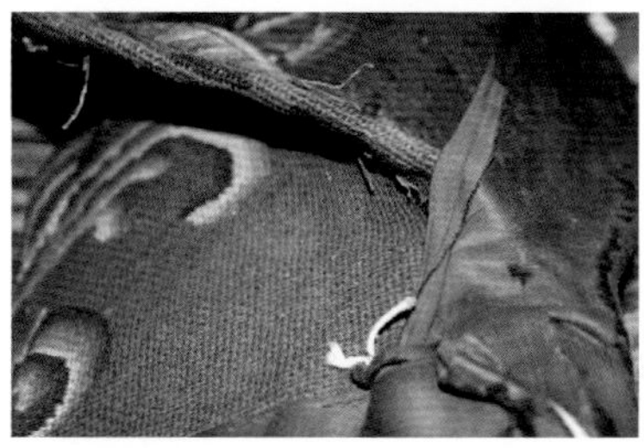

清红呢素墙毯(局部)蓝色棉布接长的情况。

清平纹花卉纹西洋地毯(局部)拆改使用的情况。

清杏黄地万字边龟背纹栽绒地毯(局部)包边带里衬拆改的情况。

述多种因素，宫廷地毯织造术处于领先地位已成必然。这些毯在不同程度上反映出清代织造艺术、宫廷典章制度、宗教信仰、民俗风情以及中外文化交流的状况。其艺术价值高于实用价值，为后人留下不可多得的财富。

注释

[1] 汉班固撰:《汉书·食货志》。

[2] 唐白居易《红线毯》诗曰:“地不知寒人要暖，少夺人衣做地衣。”

[3] 彭泽益编:《中国近代手工业史资料》第一卷，中华书局，1962 年。

[4] [5] 中国第一历史档案馆藏《乾隆朝造办处活计档》，第 3520 包。

[6] 中国第一历史档案馆编:《圆明园》下册，上海古籍出版社，1991 年。

[7] 齐木道尔吉等编:《清朝太祖太宗世祖朝实录·蒙古史史料抄》一，内蒙古大学出版社，2001 年。

[8] [9] 中国第一历史档案馆藏:《乾隆朝藏敬事房档》。

[10]《宫中杂件·进单》第 0024 包。

[11]《宫中杂件·进单》第 0036 包。

[12]《宫中杂件·进单》第 708 包。

[13]《宫中杂件·进单》第 934 包。

[14] 中国第一历史档案馆编:《圆明园》下册。

[15] 清王世祯撰:《池北偶谈》上，《荷兰贡物》，中华书局，1982 年。

[16] 法约翰·怀特海著，杨俊蕾译:《18 世纪法国室内艺术》，页 128。另参见童寯《北京长春园西洋建筑》，《圆明园》第一集“圆明园罹劫一百二十周年专号”，1981 年 11 月。

[17] 金毛毯数匹（清定名为“丝毛金线毯”），“为精致房间用”，带赴热河。大毯（清定名为“大毡毯即英吉利亚毯”）数匹，“为大殿铺用”，交圆明园内殿、清漪园、热河分贮。见《红毛英吉利国王谨进天朝大皇帝贡件清单》，引自王树卿主编《清代宫史丛谈》，页 206。

[18] 中国第一历史档案馆馆藏《军机副录》，缩微胶卷 41 号。

[19] 清昭梿撰:《啸亭杂录·续录》卷三，中华书局，1980 年。

[20]《乐善堂全集》，卷十六。

[21] 朱家溍选编:《养心殿造办处史料辑览》第一辑，雍正朝《画作》雍正五年二月二十九日。

[22]《活计档·皮裁作》，3562 包，乾隆三十四年正月。

[23] [24]《圆明园档案·乾隆四十五年十月十日·如意馆》，页 1412。

[25] 清代档案史料《圆明园》下册，上海古籍出版社，1991 年。

[26]《圆明园档案·乾隆四十五年十月十日·灯裁作》，页 1558。

[27] 赵尔巽等撰:《清史稿·本纪九·世宗本纪》，中华书局，1977 年。

[28] 清代档案史料《圆明园》下册，上海古籍出版社，1991 年。

[29] 中国第一历史档案馆藏，《乾隆朝造办处活计档》3437 号。

[30] 中国第一历史档案馆藏，《乾隆朝造办处活计档》3539 号。

[31] 中国第一历史档案馆藏，《乾隆朝造办处活计档》3564 号。

[32] 中国第一历史档案馆藏，《乾隆朝造办处活计档》3552 号。

[33] 中国第一历史档案馆藏，《乾隆朝造办处活计档》3552 号。

[34]《内务府造办处乾隆三十四年活计档》，胶片 3562 号。

[35]《内务府造办处乾隆三十四年活计档》，胶片 3566 号。

[36]《内务府造办处乾隆三十四年活计档》，胶片 3566 号。

[37]《内务府造办处乾隆三十六年活计档》，胶片 3663 号。

[38]《内务府造办处乾隆三十四年活计档》，胶片 3562 号。

地毯类

付超　刘宝建

地毯，又名毛席、地衣，最先问世于盛产羊毛的古代游牧部族。清代沿用前人“规地以罽宾氍毹”[1]的做法，在宫中各殿宇、寝宫、佛堂、书房、神房等处的地面或地平（正殿设的长方形木台）均铺设地毯。故宫博物院现存大量地毯藏品，其品类多样、工艺复杂、装饰风格各异，全面反映了地毯在清宫使用的情况，以及清宫廷地毯的多元的文化现象。

一、品类

清宫地毯，按质地与工艺的不同，可分为绒毯（包括栽绒毛毯和栽绒丝毯）、平纹毯、毛毡及西洋毯等。其中栽绒毯占绝大部分，平纹毯、毛毡及西洋毯数量较少。

1. 栽绒毯

在各种工艺的地毯中，论其工艺品质最为优良者当数栽绒地毯。同时，栽绒地毯也是宫内使用最为普遍、现存数量最多的地毯。栽绒地毯主要由新疆、宁夏、蒙古、甘肃、西藏、北京及宫内有关机构等织造，其中新疆、宁夏、蒙古及宫内编织的栽绒毯，最具当朝水准。

新疆栽绒毯

新疆是世界上最早生产栽绒毯的地区之一。1959年，新疆民风大沙漠第一号出土了东汉时期的栽绒毛毯[2]；新疆鄯善洋海出土了战国时期的三角纹栽绒毯，是世界上最早的栽绒毯之一。[3]新疆毯原料采用当地土种羊毛，弹性强，手捻后依然蓬松，毛线精细，所织毯品质优良。

清初，新疆进贡地毯以岁贡形式为主，新疆喀什噶尔就“岁贡毛毯”。[4]至乾隆年间，新疆织毯业迎来了繁荣兴盛期。乾隆二十四年（1759年），朝廷平定准噶尔及大小和卓叛乱，新疆经济发展迅速，与内地贸易往来也日趋频繁，在客观上促进了织毯技术的发展。乾隆帝对新疆毯情有独钟，曾招募“回子毯匠”数名进京，在圆明园造办处为宫廷编织“回子毯”。[5]此外，遇元旦（春节）、万寿节（皇帝生日）等重大节日，往往由地处南疆的喀什、和阗、叶尔羌（今莎车）、阿克苏、洛浦等地方将精美的栽绒毯进呈朝廷，以示祝贺。[6]“乾隆五十四年（1789年）十二月二十六日，阿克苏三品阿布都拉恭祝万寿进金银线毯一块”。[7]“乾隆五十九年（1794年）十二月十四日，御前行走喀什噶尔三品阿奇木伯克、郡王伊斯堪达尔等十四人，恭进金银绒毯一块、绒毯四块、毛毯一块”。[8]岁贡、年节贡以及宫廷编织的“回子毯”，使宫内新疆地毯数量大增。

故宫博物院现存新疆地毯多为栽绒毯，主要有栽绒毛毯、栽绒丝毯及盘金银线丝毯。其中，盘金银线栽绒丝毯为佼佼者。此毯用料中需取用丝线、金银线，丝线是未加捻、蓬松的彩色丝线，而金银线则以丝线为心，外缠金箔或银箔复合而成。其特殊工艺盘金银线，即在地毯不显花纹的部位，以金银线在经线上盘成人字纹。整毯图案在金银线的光泽辉映下，显得富丽堂皇。而宫中编织的盘金银线毯，往往将银线盘于毯边；金线盘于毯心内，从而形成特有的银线边、金线地的装饰效果。盘金银线栽绒毯，工艺复杂，清中期以前只有回疆（今新疆南部）地区擅长此技艺，乾隆时得到繁荣发展，晚期趋于衰落。

新疆（尤其是南疆）地区居民信奉伊斯兰教，受其影响，其地毯着色、纹饰都充满着浓郁的伊斯兰风情。主要表现在组成四方连续的图案；有时也以曲线为骨架，再将图案对称的加以体现；还有在主图案外，经常出现既非几何形、又非植物的小装饰排列其中。地毯图案受外客观因素影响至深，所以，新疆地毯的花纹呈现出早、中、晚三个时期特征。

清初，地毯图案以花卉纹为主，毯心内以四方连续的形式布满整毯，纹饰规整简洁、色彩明快。但受客观原因

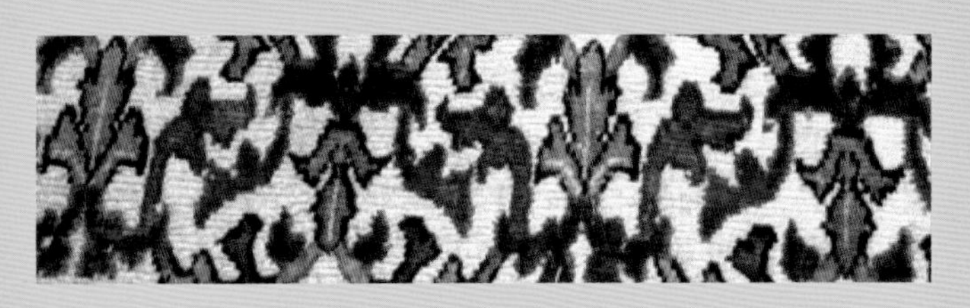

清新疆盘金银花卉纹栽绒地毯的银线毯边饰，具有伊斯兰中古时期的构图风格。

限制，进贡数量有限。

中期，纹饰呈现出复杂而多样化的特征。装饰风格主要为两种：一是以花卉纹为主的纹饰，取材于自然界中生长的百合花、郁金香、玫瑰、石竹、梅花、石榴花、玉兰、牡丹、葵花、菊花、巴旦木以及部分花的叶、果、茎、枝蔓。在构图上，既有写实风格，也有非具象的花草。主要以十字为骨架，近似方形、菱形为框架，其内外填充各种花卉、花叶及茎蔓，并进一步组合成花瓣形、菱形，以这样一个花纹单位作四方连续，从而使毯面呈现出几何纹与植物纹交叉重叠、对称均衡、规则排列的特征。有的花卉纹将植物的外在特征，如弯曲的茎蔓、丰满的花叶，编织的线条流畅、灵活、多变。特别是盘金银丝毯中，扇形棕榈叶、毯边涡状的花卉纹及近似方形框架内外，主辅花卉对称排列的构图法，与十六、十七世纪波斯编织的栽绒毯风格极为接近。有些毯边饰二方连续的蔓草纹、花卉纹，又留有伊斯兰中古时期盛行的构图风格。另一种则以维吾尔族传统图案为主，少量融合中原地区崇尚的纹样，使地毯呈现出多元文化的情趣；或在毯中心设主题图案，运用中原地区崇尚的蝙蝠、牡丹、夔龙等，而四方连续花卉作辅助纹样；或毯心内为典型的花卉纹，但毯边却饰以中原流行的锦纹、牡丹纹。

晚期，中原与新疆地区的文化、艺术交流频繁。尤其在丝绸交易中，中原的万福万寿、江山万代、蝙蝠等传统纹饰被少数民族广为接受，客观上为毯匠提供了新的设计思路。一件长方形的毯面上，毯心上编织数个月亮花（即大圆）的主图，其内分别饰石榴、蝴蝶、朵花、玫瑰花、云纹、羊犄角等，或单独的瓶插石榴花等。主图周围又以石榴的果、叶、花、蝴蝶、四瓣花、云纹、菱形格、小团花等组合成辅助纹饰，并在四角饰拐子纹。在花纹上仍以对称、均衡的规律表现。与之相应的地毯边饰，则大量出现海水云纹，特别是毯边一改中期以前的多重花边，而仅用两三道花边。如乾隆盘金银线丝毯的毯边，由外到内大小相间的毯边共七道，分别饰绳纹、花卉纹。而清晚期编织的栽绒毯则多为三道，有的甚至仅有两道，图中地毯花边则是由海水纹、云纹与回纹装饰的花边，这显然与清初、清中期本民族传统的多毯边的做法大相径庭。这时期，新疆贡毯有以明黄为底色，其上编织暗八仙、虎纹、龙纹、凤纹，可见中原地区盛行的纹样已在新疆少数民族地区得

清新疆栽绒毯中的七道花卉纹毯边，这是清中期地毯常见的纹饰。

清新疆栽绒毯中两道海水云纹毯边，这是清晚期地毯常见的纹饰。

到普及与应用。

新疆地毯的染色，分植物、矿物与化学染色，颜色极为丰富。主要有绛红、玫瑰红、桃红、木红、大木红、紫红、宝石蓝、月白、白、鹅黄、姜黄、深姜黄、杏黄、绯色、茶绿、浅绿、水绿、艾绿、草绿、绿、豆绿、粉、浅粉、浅雪灰、棕、驼、黑、古铜、金、银等二十余种。特别是新疆毯中喜用绿色，这与伊斯兰文明有直接的关系。“伊斯兰教，特别是其什叶派崇尚绿色，因为，它是什叶派第一代伊玛阿里的家族标志”。[9]

色彩运用通常采用冷暖色做强烈的对比，如红与绿、红与蓝等，少数采取两晕色，如木红到粉、豆绿到浅绿，甚至采取三晕色，如由红到粉到白。另外，还运用深线勾边的技巧，以增强花纹的清晰度和立体感，同时也运用浅色勾边法，以使局部花纹中过于浓度的两种色彩增加晕色的效果。晚期，采用化学染色，色调浓艳异常，却影响了地毯的艺术美感。

宁夏栽绒毯

宁夏织毯工艺从新疆传来。汉代以来新疆编织地毯的技艺，逐渐传到中原地区，也传到了宁夏。宁夏地毯品质优良，所用羊毛为宁夏特产的滩羊毛，含绒多、光泽度强、富有弹性。编织扣结牢固，经纬线采用棉线，起绒的绒头较高。优质用料与特有技术的完美结合，使成品具有保暖性强、质地松软、踩踏舒适的特性，深受帝后的青睐。

清代早期，宁夏地毯图案设计尚留有明显的明代特征。毯心饰以四合连续的几何纹、锦纹、小团花、四合如意云纹、串枝莲花，其中以锦纹构图最为典型。毯边常饰有二方连续的几何纹、牡丹纹、锦纹等。中、晚期多承织宫廷用毯，纹饰更多体现出宫廷纹饰的韵味，有龙凤、莲花、菊花、石榴花、锦纹、回纹、夔龙、狮子滚绣球、飞燕、云纹等。毯边多饰二方连续的锦纹或花卉纹。在构图法上，毯心或中心设主图案，以辅助纹饰向四周放射排列，再配角隅纹；或选一二种纹样，以散点的形式规则排列；或采用中国传统的“一整二破”[10]的设计法，以增强地毯主纹饰的动感。

宁夏地毯用色，既有传统的色彩，也有为迎合宫廷需要而增加的颜色，主要有深蓝、蓝、月白、姜黄、土黄、浅驼、香色、米色、绿色、湖绿、烟色、雪青、绯色、白、棕、黑、枣红、酱色等多达十余种。其中早期有一种与众不同的合色线，即是将两种不同颜色的毛纱合捻成一股花线，以丰富花纹的色彩。色彩运用上，早期以冷暖色对比为主，两晕、三晕色为辅；晚期，则以晕色为主，多以三晕色装饰纹样。

蒙古栽绒毯

蒙古织毯技术亦传自新疆。至元朝，蒙古栽绒毯已形成织造规模庞大、产品数量繁多、花色丰富的盛世局面。清代，蒙古进贡栽绒毯可分为漠南蒙古（今内蒙古）毯、厄鲁特蒙古（今新疆北部）毯两大类，其中以前者进贡数量为多。

漠南蒙古栽绒毯纹饰古色古香。毯边饰万字纹、回纹，毯心纹样有四瓣花、团花、狮子滚绣球、折枝花、蝴蝶、石榴花、团花、夔龙、莲花、四合如意纹等。受佛教影响，多以黄色为地色，常饰以狮子纹。地毯用色中的白、蓝、黄为代表色。蒙古族原始宗教为萨满教，在萨满教中白色恰恰是吉祥的象征，所以“国俗尚白，以白为吉”。[11]萨满教尊天，因尊天而重蓝色。所以，蓝白在蒙古人心中是神圣的。蒙古人也信奉喇嘛教。清代在清政府的大力扶持之下，漠南蒙古新建寺院，入教人数空前。黄色是喇嘛教的代表色，因而在地毯上广泛应用。在纹样装饰上，除按宫廷设计的花样外，更多的是狮子滚绣球，再以折枝花作辅助图案。主花纹中的狮子，也与藏传佛教有关。可见，漠南蒙古编织的栽绒毯，从花纹到色彩，都充满着浓郁的宗教气息。色彩搭配上，通常采用两晕色，如深蓝配浅蓝、白配蓝，或冷暖相配，如深蓝配杏黄等。

厄鲁特蒙古栽绒毯完全保留了蒙古传统的编织技艺。如在边经上为重边、过纬线细，且间隔密集等。但与漠南蒙古不同的是，厄鲁特蒙古居住在今新疆地区，受到当地一些民俗的影响，图案多取材于当地人们喜爱的石榴花或内地崇尚的牡丹花、四合如意纹等，相互组合，并以硕大的花纹作四方连续布满整毯。地毯在用色上，毛纱彩色单调，深暗，一般只用四种颜色。厄鲁特蒙古栽绒毯的一大特点，是将本民族传统编织术与新疆及内地流行的花卉纹完美结合在一起。

西藏栽绒毯

西藏编织栽绒地毯已有一千余年的历史。唐代文成公主远嫁西藏，带去不少纺织工匠和工具，促进了西藏包括地毯编织在内的纺织技术的发展。至十七世纪，西藏栽绒毯技术已臻成熟。西藏栽绒毯工艺中拴扣与染色技术颇具特色。至清代，西藏传统的编织方法采用马蹄扣与手捧缠的打结法，而马蹄扣较“8”字扣复杂，也更为牢固。

西藏栽绒毯图案粗犷，色彩艳丽，富于民族特色，深受世人喜爱。清代西藏栽绒毯的编织术一直被宫廷所采用。清初，产自西藏的羊毛长途运送到朝廷，又有档案中称之“藏毛人”的工匠，为宫廷尽职纺线、捻线等事宜，也不排除教授藏毯技术。但因多种原因，故宫博物院现存西藏进贡的地毯绝少。

北京栽绒毯

北京制作毛毯的工艺，至元代已达到相当的水平。因织造技术为皇家垄断，未能在民间流传。历经明、清两朝，北京地毯织造的中心仍在皇宫内。直至清晚期，北京的栽绒毯，实系宫廷织造物。因此，宫廷在生产机构、工艺以及成品的装饰上，与民间形成鲜明的对比。

清宫织造的地毯，其品种主要有栽绒毛毯、毛毡。参与织造的机构主要有工部制造库管辖下的“帘子库”“门神库”、染织局、庆丰司以及造办处下属的皮裁作。其中，“帘子”“门神”等库，从清初至嘉庆年间，额定有关工匠分别为“缠绒匠”“毯匠”“毡匠”等。此外，清宫还不定期招募织毯方面的工匠，为清宫织造或修补地毯。如清初宫内就有临时羊毛加工的“藏毛匠”“蒙古擀毡人”。[12]染织局则专门督办织染、绣花事宜。庆丰司通过下属的南苑六羊圈、张家口外的羊群牧场游牧，分别于春秋两季向宫廷上交额定的羊毛。此外，根据实际需要，还从西北地区不定期的调配羊毛。

由宫内编织的地毯，为宫殿各处铺设地毯之需，或依帝王审美情趣而织作。清初，随着皇家礼朝殿宇与宫廷临时举行活动的需要，曾一度赶制几十条体积硕大的栽绒羊毛地毯。也有一些中等尺寸的栽绒毯，在技术上采用宁夏、西藏技术。在纹饰设计上，明显经历了从借鉴明朝到形成本朝特有风格的过程。

礼朝殿宇用大地毯纹饰，主要有龙凤纹、锦纹等。龙凤纹构图中呈现的是龙凤穿花图案，且凤纹为交尾的鸾凤，这与明朝织物的图案一脉相承；而锦纹除颜色有变，图案则与明代相仿。自康熙晚期，新增缠枝莲纹。同时，在龙凤纹地毯的设计中，除保留龙凤纹外，更多地取材于宫殿建筑装饰纹样中的和玺彩画，枋子、金漆柱以及参照紫禁城各礼朝殿宇前汉白玉云石阶的构图布局。这时期地毯中的龙凤纹，完全摆脱了明末与花配伍的纹饰，取而代之的是龙凤在海水江崖、宝珠、火珠、云纹的烘托下，更显威严、神圣。

宫内编织的地毯，在技法上，主要采用西藏、宁夏及南疆的编织技术。用料中以羊毛为主，另有丝、金、银等线，尤其是铺设于礼朝殿堂的大栽绒毯，用料不惜成本，常以价高于棉线的纯丝线作经纬线，显示了皇家用毯的奢靡。地毯尺寸按宫殿需要编织，其尺寸远大于普通地毯。在地毯的织作过程中，如地方承接织作宫廷毯一样，需要经过画小样、御览、批准、编织几个环节，可以说地毯的尺寸、图案、用色等都严格按照皇帝旨意操办。

栽绒毯在施色上，向以木红为地色，上饰深蓝、浅蓝、黄、浅黄、深绿、草绿、绯色、绛红、月白、枣红、浅驼、白及未经染色属本色的褐、黑。常采用两晕，如深蓝配浅蓝，也有冷暖色对比；如绯色配绿色、黄色配月白色等。此两种色彩的运用法，增加了地毯花纹浓艳而热烈的气氛。

清中期，由于各殿宇用栽绒毯的织造已基本完成。根据乾隆帝的审美情趣，转向以编织新疆栽绒地毯为主流，品种有栽绒丝毯、毛毯，也有少量的盘金银线丝毯。这期间，圆明园造办处下属的皮裁作，负责编织新疆毯。为保证地毯质量，乾隆帝先后任命江南三织造的官员。诸如苏州织造的萨载、安宁等人，尽责地毯的编织与督造，而地毯的图案与配色，也大体仿照新疆栽绒毯。

宫内所织栽绒毯，其体积硕大、毯基厚重、踩踏舒适、结实耐磨；而盘金线丝毯华丽无比，地毯的品质以及地毯中的文化底蕴等，都是民间望尘莫及的。

清晚期，宫廷织造地毯一统北京的局面，开始发生根本性的变化。据记载，清同治十年（1817 年）有西藏喇嘛在北京彰仪门（今广安门）报国寺内开办北京第一家“地毯讲习所”。随着学徒的增加，逐渐发展到东门（今崇文门一代）、西门（今打磨厂一带）、集门派（今西城一带），但生产为民间经营性质。至 1840 年鸦片战争后，中国沦为半封建、半殖民地社会，在经济日衰、民生日蹙的情况下，清政府为扭转形势，提出“振兴实业”的口号，在各省兴办工艺局，创设的工艺厂中，多有毡罽栽绒之制。此风也带动了北京，至清末年，有织机十台以上的地毯厂不到十家……至 1918 年以后，发展成散在北京各处的地毯厂不下二百家。北京地毯同其他各省地毯一样，原料好，尤其人工超乎寻常的便宜，成品质优价廉，深受外商的欢迎，于是产品更多的销往洋行，直至销往国外。[13] 正是由官方的大力出资兴办，才使民间地毯厂实力得到不断的发展。北京地毯的织造中心由宫廷转民间已成使然，并跨入了近代生产地毯的行列。

2. 平纹毯

宫内铺陈的平纹地毯，以毛麻混纺为材料，织造纹理上分平纹与斜纹。平纹毯原材料中的麻，质轻拉力强，与羊毛混纺后，克服了麻的吸湿散热缺点，而增加了保温性，极适宜于春秋时节铺用。又因麻具有易上色、不易褪色的优点，在彩画时，不受编织纹理的限制，各类纹饰均可依画稿，饱蘸多种颜色尽情绘画，特别是画师熟练的作画，唯见花纹细腻入微、色彩浓淡相宜，使毯子犹如艺术品，极富装饰效果。所以，平纹毯被更多地铺用在皇家的蒙古包内。皇家的蒙古包也因在平纹画花地毯的装饰下，增加了美感。现藏品中的“黄地红花毛毯”“白地画西洋花毛毯”即是较为精美的平纹画花毛毯。

为保证平纹毯的装饰更好的体现其艺术性，一件成品的完成，首先由地方织造成素色毯进呈宫廷，再由宫中施以绘画。以乾隆二十六年（1761 年）四月初九日为例：“本月初九日员外郎安泰等面奉旨；新建水法十一间，楼下北明间二间，南明间二间，四面具用苏州织来白毯子，照原来西洋毯子，着郎世宁等仿画。有现挂西洋毯子不合尺寸，亦着画。再，三间楼下西进间东墙一面，也着照样画。”[14] 从这件画毛壁毯中窥知，尽管成品出自民间，但因是领旨而造，所以平纹画花地毯的尺寸、图案、用色，依然是按照清帝的旨意严格操作的。

3. 西洋毯

关于地毯的起源，学术界一直坚持这样的观点，地毯最先问世于在亚洲中部的游牧部落，西方地毯的织造术是由东方传入的。考古学者曾在土耳其首都安卡拉附近的戈地思地区，发掘出公元前七世纪的地毯残片。[15] 1949 年，由苏联考古学家发掘出土地毯，是位于海拔 5400 米的一个叫巴泽雷克（Pazyryk）山谷中的第五座坟墓内。地毯设有两道毯边，第一道毯边饰鹿、牛等动物，第二道毯边饰古代骑马勇士，毯心内有二十四个方格，每方格内填充小纹样。地毯图案美观、色泽鲜艳、编织细密。波斯（今伊朗）是公认的擅长编织栽绒毯的国家，那些信奉伊斯兰教的人们祈祷时离不开毛毯，因而成就了他们惊人的编织地毯的高超技术，尤其是毯面图案之精美，为世人称道。

东方织毯精湛的技艺，在八世纪初，西班牙成为第一个掌握东方制毯技术的国家。至十三世纪中叶，东方地毯术又传到英国。十五世纪法国巴黎也兴建了织毯的工艺学校，十七世纪初，法国在萨伏纳里（Savonnerie）建立了皇家地毯厂，同时在法国中部的奥比松（Aubusson），也有精品地毯的生产。此后，西方地毯织造业空前发展。

在西方迷恋于东方手工栽绒毯的同时，随着西方室内装饰艺术的需求，其他类工艺的地毯也蓬勃发展。许多由皇家出资建立的地毯厂，聘用高超的画师为地毯设计纹饰图案，而图案往往是为适应皇家对时尚艺术欣赏而特别设计的。于是许多美轮美奂的毛织地毯问世，其间大量出现缂毛毯、纳纱工艺毯。十九世纪的机织毯工艺问世，出现了诸如艾克明斯特地毯（Axminster）、威尔顿地毯（Wiliton）等不同工艺的机织地毯。

故宫博物院现藏少量的外国地毯中，主要来自法国、英国、波斯、荷兰、意大利等国。清宫中的西洋毯，或是西方诸国以礼品的形式进献而来，或是朝廷通过对外贸易的形式，以定织、购买等方式获得。外来地毯中，都包含着当时最为流行的艺术风格、形式，即有巴洛克、洛可可以及长久不衰的波斯艺术等。十九世纪中叶以后，机织地毯逐渐成为西方地毯生产的主流，所以清晚期宫廷中的洋地毯一律为机织物，尤以威尔顿、艾克明斯特等机织栽绒地毯为多。

西洋织造的地毯，在染色上，直到十九世纪仍采用矿物、植物为染料，尤以矿物染料为多。至十九世纪下半叶，开始了化学染色。外来不同纹样在繁多色彩的渲染下，将异国的装饰艺术表现得淋漓尽致。这些西方风格的织物，对我国地毯的纹饰设计也产生了积极的影响。宫廷的平纹毛毯在设计绘制过程中，多依西洋毯花纹。

此外，清代宫廷所铺用地毯中，还有毛毡地毯、苏州织的毛呢地毯，西方织造的哆罗呢原料由宫内机构剪裁拼接而成的薄呢类地毯等，这些地毯不仅反映了地毯织造技术的变化、发展，同时也体现出清宫地毯使用的特点。

1949 年，由苏联考古学家发掘的东汉武士纹地毯，这是迄今世界上发现最早的一件栽绒毯。

清纳纱工艺织作花卉纹壁毯（局部）。

二、清宫使用礼俗

清宫与皇家园囿内的建筑，其位置、内外装饰、使用功能各不相同。其中礼朝正殿的地平、地面，寝宫明间的地平、地面、书库等地面，均铺用地毯。其铺陈与殿堂的建筑格局、地处位置、使用功能等几大要素相关联。

位于紫禁城的太和殿、中和殿、保和殿、交泰殿、乾清宫等礼朝或是皇家举行重要活动的殿宇，由于殿内地面宽阔，铺设的地毯是由数十条大毯并列排开，由地面跃然呈现的翻腾的海水江崖及气宇轩昂的行龙戏珠，将殿堂装扮成为名副其实的龙的世界。充满神韵的龙凤纹，整体图案凸显庄重，加之木红地色的渲染，与高大宏伟的殿堂浑然一体。

中和殿内地平铺设的正龙纹栽绒地毯。

新疆栽绒毯五枝花图案（局部）。

位于皇家园囿建筑中的殿堂，诸如圆明园正大光明殿、香山勤政殿等，系皇帝临时处理政务的场所，铺用地毯与紫禁城内礼朝正殿铺陈的迥然不同，其材质、图案、色彩并无特殊规定。据档案载：乾隆十三年（1748年）正月初六日司库白世秀、太监胡世杰督办勤政殿地平毯，传旨："香山勤正殿地平上着做红猩猩毡心、蓝猩猩毡边毯子一件，其猩猩毡向内养心殿要。"[16]"乾隆二十七年（1762年）十月二十三日郎中白世秀将正大光明地平回子毯一块持进，交太监胡世杰呈览，奉旨：着交圆明园收储"。[17]可见，位于御苑的礼朝大殿，因其礼朝性质与紫禁城内有别，地毯铺用要求较为宽松。所以新疆特色的手工织物、西方机织的红色呢子毯等尽可铺用。

紫禁城东西六宫、皇家园囿内寝宫等处的明间，其内铺陈地毯的质地与纹饰则更多取决于帝后的喜好。以紫禁城寝宫为例，乾隆三十一年（1766年），乾隆帝下旨将"总管潘凤、王忠交栽绒地平花毯七块"，铺"在储秀宫、永寿宫、翊坤宫、景仁宫、永和宫、承乾宫、钟粹宫地平上"。[18]乾隆三十三年（1768年），又下旨："在乾清宫东暖阁铺设米色地五彩串枝莲花毯，而西暖阁则铺设黄地红万字花毯。"[19]

在紫禁城寝宫中，受建筑空间的限制，室内墙壁素色，顶部也没有大殿顶部装饰性建筑。但由于室内设有槅扇落地花罩，摆设若繁多的床、条案、炕桌、字画、宫灯以及桌案上陈设的钟表、瓷器、珠宝，弥补了墙壁、屋顶单一的状况。如此多样的陈设物，将居室装扮得华贵典雅。在这样的空间中，地面铺设的地毯，地色多以米色、姜黄色、金色、蓝色等为主，其上则用花草、几何纹样等。柔和的地色与俏美的花纹，渲染出浓郁的生活情调。这完全是为适应居室内华丽装饰的需要，并通过地面的毯子与室内多彩陈设物相互呼应，营造出舒适的生活环境。

综观清宫铺设的地毯，用料、染色、用色、编织技巧及图案设计中纹样的传统与更新等诸多因素，是与其时代的政治、经济、文化的发展、人们生活的习俗、宫规礼仪的制约以及对外文化的交流密切相关。皇家在使用中以其特有的艺术审美情趣，不仅以地毯的实用性为殿宇、宫室驱寒保温，而且又以毯子的装饰，在室内尽显辉煌与温馨，体现出清代宫廷地毯的文化大观。

注释

[1]《三辅黄图·未央宫》。

[2] 新疆维吾尔自治区博物馆出土文物展览工作组编：《丝绸之路》，文物出版社，1973年。

[3] 赵丰、李文瑛：《新疆出土的栽绒毯》，《大漠联珠——环塔克拉玛干丝绸之路服饰文化考察报告》，东华大学出版社，2007年。

[4] 清嵇璜等撰：《皇朝文献通考》。

[5] 中国第一历史档案馆藏《清宫造办处活计档》。

[6] 乾隆年间《宫中进单》。

[7] [8] 中国第一历史档案馆藏《敬事房档》。

[9] 巴基斯坦塞义德菲亚兹·马茂德著、吴云贵等译，《伊斯兰教简史》，中国社会科学出版社，1965年。

[10] 一整二破：指一个整体中破为两个相互对立而又相互关联着的相反而又相成的图案，诸如"太极图"即是典型。

[11] 元末明初陶宗仪撰：《辍耕录》卷二十一。

[12] 辽宁社会科学院历史研究所等译编：《清代内阁大库散佚满文档案选编》，天津古籍出版社，1992年。

[13] 彭泽益编：《中国近代手工业资料》第二卷，中华书局，1962年。

[14] 中国第一历史档案馆编：《圆明园》（下册），上海古出版社，1991年。

[15] 杜仓山编著《地毯》，中国对外贸易出版社，1989年。

[16] 中国第一历史档案馆藏，《乾隆朝造办处活计档》。

[17] [18] [19] 中国第一历史档案馆藏，《乾隆朝造办处活计档》。

《明朱常洛像》中的蓝地五彩龙纹栽绒地毯。

太和殿内铺设的木红地双龙戏珠纹栽绒地毯。这是故宫殿内最大的一块地毯，此毯为原样仿制（右图）。

木红地双鸾凤纹栽绒地毯

明 / 长 450 厘米 宽 435 厘米 绒高 2 厘米

北京 / 清宫旧藏

此毯为北京官方编织的栽绒毯。地毯以丝线为经纬线，经纬线捻向为“Z”形。起绒部分以彩色羊毛纱在经线上拴杆缠绕连环扣，经割绒而成。每隔两道纬线起一道彩纬，30.5 厘米内起彩纬三十五道。

地毯设有三道花边，主花纹为二方连续的忍冬纹。毯心大地饰双鸾凤、缠枝宝相花、莲花及忍冬纹。地毯用色中有木红、深蓝、蓝、杏黄、黄、绯、草绿、湖绿、白等。

地毯主花纹的鸾，素有“凤凰属也”之说，赋予了皇权的象征；忍冬寓长生之意；莲花“出污泥而不染”，代表品质高尚；宝相花是莲花、牡丹花等花型的变体，表现富丽堂皇。整毯花纹主题突出，在多种色彩的渲染下，反映出强烈的艺术效果。

根据地毯图案的象征意义、尺寸，当是明代皇后举行礼仪活动时交泰殿地平上铺设的，并沿至清初使用之。清代中期，交泰殿又编织一件双鸾凤纹地毯，尺寸、纹饰与此毯相同，但纹饰的风格有着明显的区别（见本书 P104）

交泰殿内地平上铺设的木红地双鸾凤纹栽绒地毯。交泰殿是明清皇后受贺典礼的场所，内外建筑装修与陈设均用双凤纹，所以地平上铺设着象征皇后身份的双鸾凤纹地毯。

木红地锦纹栽绒地毯

明 / 绒高 0.6 厘米

北京 / 清宫旧藏

此毯为明代北京官方编织的栽绒毯。地毯以丝线为经纬线，经纬线捻向为“Z”形。起绒部分以彩色羊毛纱在经线上拴杆缠绕连环扣，经割绒而成。每隔两道纬线起一道彩纬，30.5 厘米内起彩纬三十五道。

地毯有两道毯边，外毯边饰卷草纹，内毯边饰回纹。毯心大地在四方框架内，以“十”字形为骨架，中心编织八瓣朵花，在其旁上下对称编织花叶纹。辅助花纹为四合如意云纹，并以四方连续的形式布满整毯。地毯用色有木红、蓝、绿等。

这类锦纹的地毯，是明代宫廷用毯，清初增仿制此类地毯。地毯边缘处的缺口，是根据地毯铺设位置而特意留出来的，它从侧面反映出宫廷用毯是严格按照所需尺寸而织作的。

《清玄烨像》中的锦纹栽绒地毯。

白地四龙纹栽绒地毯

清顺治 / 长 600 厘米 宽 400 厘米

绒高 0.8 厘米

宁夏 / 清宫旧藏

此毯为顺治年间宁夏为宫廷编织的栽绒毯。地毯经纬线为棉线，每隔两道纬线起一道彩纬，30.5 厘米内起彩纬三十八道。

地毯有大小五道毯边，由外至内分别为素色边、小花纹、卷草纹、缠枝牡丹及小花边。毯心大地内，在白色地上编织四龙戏火珠，四角隅饰云纹，空余部位以杂宝、云纹作间饰。地毯用色有铁锈红、绿、杏黄、深蓝、蓝、月白、白以及未施染的自然的深棕色。色彩运用上采用冷暖色相配与色线勾边相结合，使之图案清晰。

地毯花边中的卷草纹未展开，为闭合草，这是典型的明代花纹造型。可见，清代地毯的花纹设计，经历了过渡期，即借鉴明代的构图的同时，逐步形成本朝特有的装饰纹样。地毯采用宁夏优质滩羊毛，编织道数较密，成就了地毯富有弹性、踩踏舒适的优良品质。

乾清宫内地平上铺设的白地五龙纹栽绒地毯。

木红地云龙纹栽绒地毯

清早期 / 长 1060 厘米 宽 590 厘米

绒高 1 厘米

北京 / 清宫旧藏

此毯为清早期北京官方编织的栽绒毯。地毯以丝线为经，棉线为纬，捻向为“Z”形。起绒部分是在经线上拴起绒杆，在其上绕杆织连环扣，之后进行割绒而成。每隔两道纬线起一道彩纬，30.5 厘米内起三十三道彩纬。此毯采用西藏、青海传统的编织法，这也是明清时期官方织毯采用的技术之一。

此毯设有两道毯边，外毯边饰卷草纹，内毯边饰折枝莲花。毯心内下饰海水江崖，间有珊瑚、宝珠等，其上饰气势磅礴的上下行龙，中心饰火珠，并以云纹作间饰。用色有木红、绿、草绿、蓝、浅蓝、月白、黄、白、黑，以及自然深棕等。色彩运用上以两晕、三晕色为主，如深蓝配浅蓝、深黄配浅黄、深绿配草绿、配白等。

花纹中的五爪龙纹，是皇权的象征；海水江崖的托衬，寓意大清帝国一统江山。地毯上如此鲜明用意的图案装饰，应为清宫礼朝时殿宇用地毯。

黄地回纹边二龙戏珠栽绒地毯

清康熙 / 长 675 厘米 宽 780 厘米

绒高 1 厘米

北京 / 清宫旧藏

此毯为清康熙年间北京官方编织的栽绒毯。地毯以丝线为经纬线，经线“S”向捻，纬线“Z”向捻，“8”字结扣，每两道纬线过彩纬一道，每 30.5 厘米内起彩纬三十四道。

此毯共三道边，主要饰以卷草和回纹，主体图案为二龙戏珠，辅以如意云纹，龙身修长有力，云纹飘逸雅致；下边为海水江崖图案，灵动自然，沉稳大气，整体图案既有吉祥如意的寓意，又代表着至高无上的皇权统治。此毯用蓝、月白、木红、黄、灰等颜色。整体结构组织匀称细密，图案色彩对比强烈而深沉。

木红地勾莲纹边二龙戏珠栽绒地毯

清康熙 / 长 560 厘米 宽 315 厘米

绒高 1 厘米

北京 / 清宫旧藏

此毯为清康熙年间北京官方编织的栽绒毯。为清早期宫殿用毯。毯基为丝经、丝纬，经纬线均为“S”向捻，“8”字结扣，每两道纬线起一道彩纬。

毯中心的方形口是为宫殿建筑而专门织造的，毯边以绸布包边，最外为素边，内边饰以连续卷草纹。毯主体为二龙戏珠图案，辅以如意云纹。此毯用木红、明黄、绿、深蓝、浅蓝、白等颜色。此毯整体组织紧密，构图比例协调，色彩沉稳大气。

《清玄烨写字像》中的木红地勾莲纹边二龙戏珠栽绒地毯。

木红地缠枝莲纹栽绒地毯

清早期 / 长 750 厘米 宽 510 厘米

绒高 1.1 厘米

北京 / 清宫旧藏

此毯为清早期北京官方编织的栽绒毯。毯以丝经棉纬编织毯基，经纬线均为“S”向捻，“8”字结扣，每过两道纬线起彩纬一道。

此毯外边饰为连续卷草纹，内边饰枝莲花纹。主体图案为连续莲花纹，辅以卷叶纹。用色有木红、杏黄、红、蓝、深棕、浅蓝、绿色等。整体图案花卉灵动自然，枝叶雅趣飘逸，构图协调有致，色彩对比层次突出，带有浓郁的宫廷花纹特色。

此毯缺失一角，是在宫中铺设时为避开陈设物而制。

米色地菊花边双狮戏球栽绒地毯

清康熙 / 长 785 厘米 宽 815 厘米

绒高 1 厘米

宁夏 / 清宫旧藏

地毯为康熙年间宁夏为宫廷编织的栽绒毯。毯以丝线为经纬线，捻线为“Z”形，起绒部分以彩色羊毛在经线上拴“8”字扣，每隔两道纬线起一道彩纬，30.5 厘米内起三十一道彩纬。

地毯设有三道边，最外为素边，内为菊花纹边，最内为回纹边。毯心内在四合如意的云纹中编织双狮戏球，毯心四角饰云纹。用色有米色、天蓝、深蓝、月白、白、姜黄、土黄、绿等。色彩运用上主要采用冷暖色对比，局部采用两晕色。

此毯编织精密，花纹、用色别样。图案中的狮子在梵文中写作“师子”（simha），以其百兽之王的美称，在诸经论中借以比喻佛的伟大；色彩中的黄色，是藏传佛教中崇尚的颜色；而蓝色，是萨满教崇尚的颜色。地毯的图案与用色充满了浓郁的宗教气息，这是一件宫廷在特殊活动中铺用的地毯。

黄地万字锦纹栽绒地毯

清康熙 / 长 309 厘米 宽 207 厘米

绒高 0.6 厘米

北京 / 清宫旧藏

此毯为清康熙年间北京官方编织的栽绒毯。地经、地纬均为白色未染棉线，挂经织纬，抽绞过纬，拴扣栽绒用彩色毛线，“8”字拴扣，每平方厘米纵向二个扣，横向二个半扣。花纹单位，为纵 29 厘米，横 27.5 厘米。

此毯有四道不同纹饰的花边作为中心图案陪衬。从外向内第一道毯边为蓝色素边，第二道毯边为卷草纹，第三道毯边为串枝牡丹纹，第四道毯边为万字朵花纹。毯心主体图案由锦纹组成，用色木红、浅黄、驼黄、湖蓝、白、深蓝、棕、粉红、绿色等，主体图案中的锦纹采取花纹相同、配色不同的方法，使色彩富于变化，花纹不呆板。

地毯工艺优良，花纹古朴，色彩典雅，绒毛平整，质地厚重，为清代早期地毯作品中之精品。

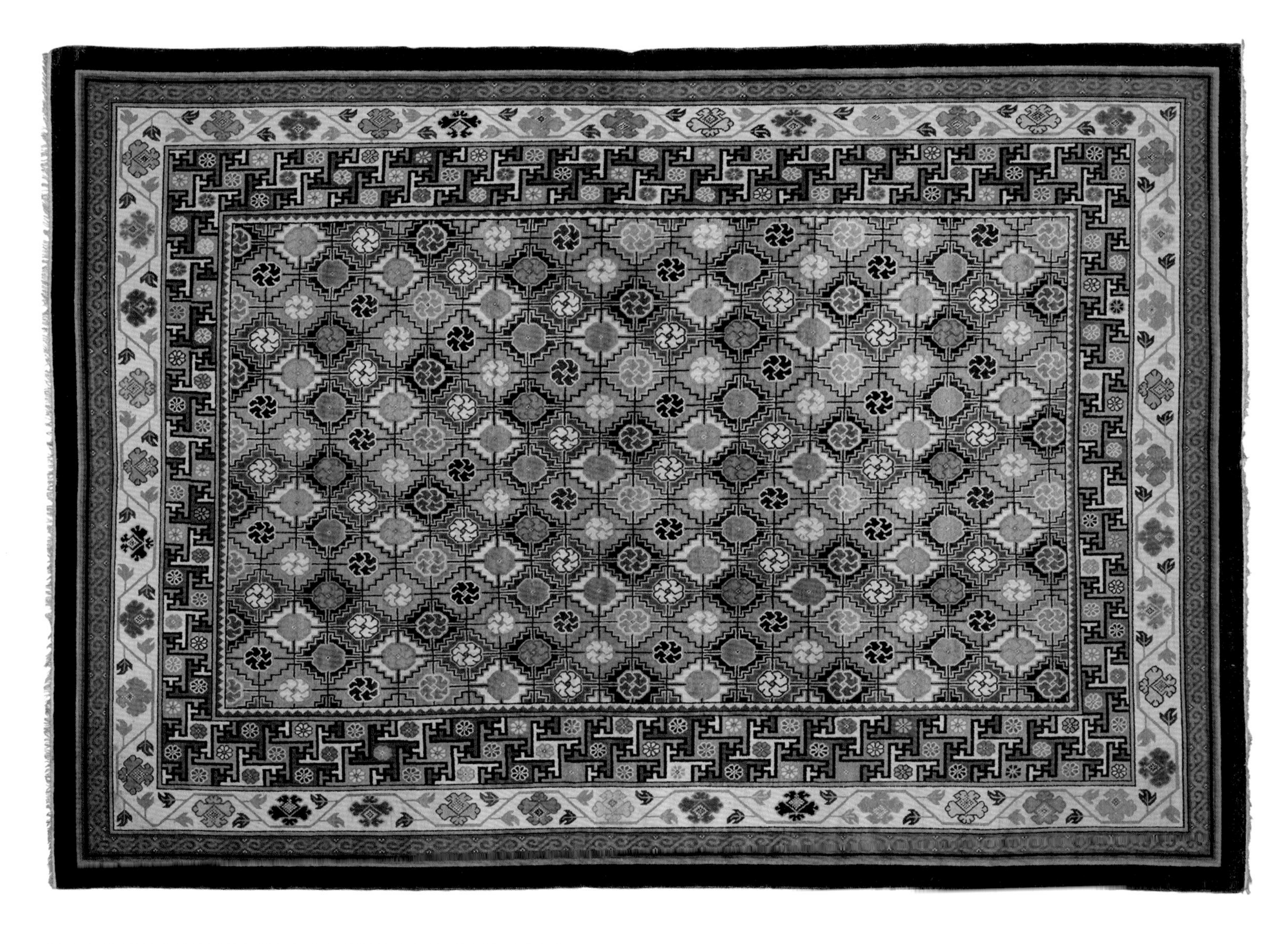

黄地斜方格梅花纹栽绒地毯

清早期 / 长 460 厘米 宽 425 厘米

绒高 0.6 厘米

北京 / 清宫旧藏

此毯为清初北京官方编织的栽绒毯。以棉线为经纬线，经线四股合一股，纬线六股合一股。经纬线捻向均为“Z”形。起绒部分以彩色羊毛纱拴“8”字扣，每隔两道纬线起一道彩纬，30.5 厘米起五十八道彩纬。

此毯有三道毯边，最外边饰花卉纹，中间饰串枝牡丹花，毯心在菱形格内编织梅花。用色有蓝、黄、杏黄、土黄、黑、白、棕、粉等。色彩运用在冷暖色的对比中，突出花纹的俏美。

此毯构图有明代的遗风，根据编织特点，应当是清代早期北京官方织造物。

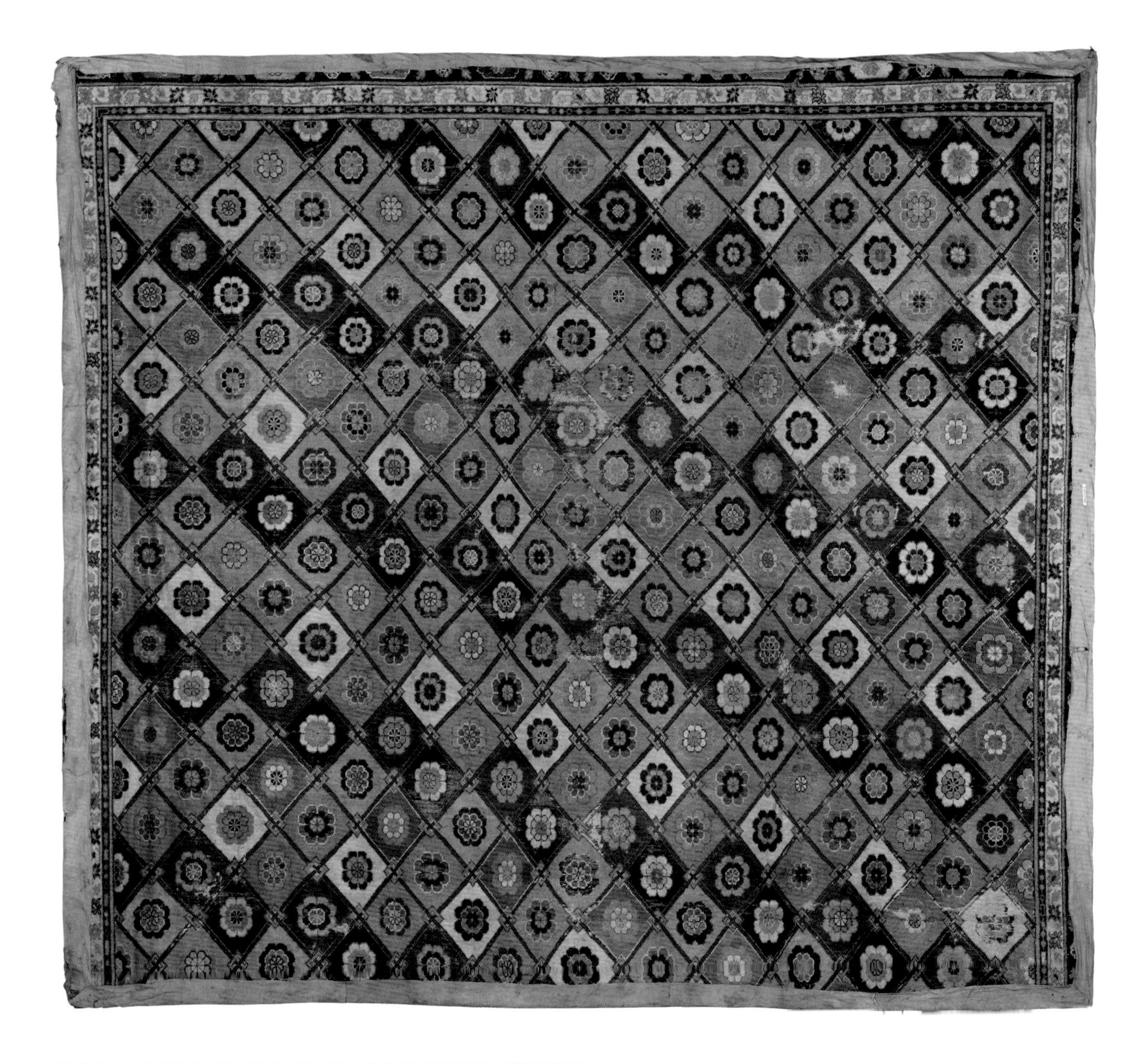

红地锦花纹栽绒地毯

清早期 / 长 312 厘米 宽 218 厘米

绒高 0.8 厘米 穗长 5 厘米

宁夏 / 清宫旧藏

此毯为清早期宁夏编织的栽绒毯。以白色棉线作地经地纬，经纬线均为“Z”捻向，毛纱五小股捻为一股。起绒部分用彩色羊毛线在经线上拴“8”字扣，每隔两道棉纬起一道彩纬，每 30.5 厘米起四十八道彩纬。

此毯有两道花边，外毯边饰梅花锦纹，内毯边饰串枝牡丹纹。毯心在长方形框内编织四合如意云纹。地毯用色有木红、浅黄、驼黄、湖蓝、白、深蓝、棕、粉红、绿色等。色彩运用采用晕色，使相同的花纹富于变化。

此毯羊毛含绒量高，起绒平整，质地厚实，花纹对称工整，具有典型宁夏地毯的特征。

五彩牡丹边锦花纹栽绒地毯

清早期 / 长 297 厘米 宽 146 厘米

绒高 1 厘米 穗长 2.5 厘米

宁夏 / 清宫旧藏

此毯为清早期宁夏编织的栽绒毯。毯基地经、地纬为白色棉线，经线分三小股捻一股，为“Z”捻向。纬线分四小股捻一股，为“S”捻向。挂经织纬，抽绞过纬，起绒用彩色羊毛线，“8”字扣拴头，每隔两道纬线起一道彩纬，30.5 厘米内起彩纬七十道。

此毯有三道边饰，从外向内第一道边饰为烟色素边，第二道边饰为串枝牡丹纹，第三道边为万字纹，间饰朵花。毯心图案为四方连续锦纹。配色选用烟色、浅蓝、雪青、土黄、绿、白等颜色，运用冷暖色相配与深色勾边，使花纹清晰，具有较强的装饰效果。

此毯精选宁夏上乘的纯羊毛，织工精细，图案设计规整，色彩浓而不艳，为清代宁夏地毯作品中的精品，至为珍贵。

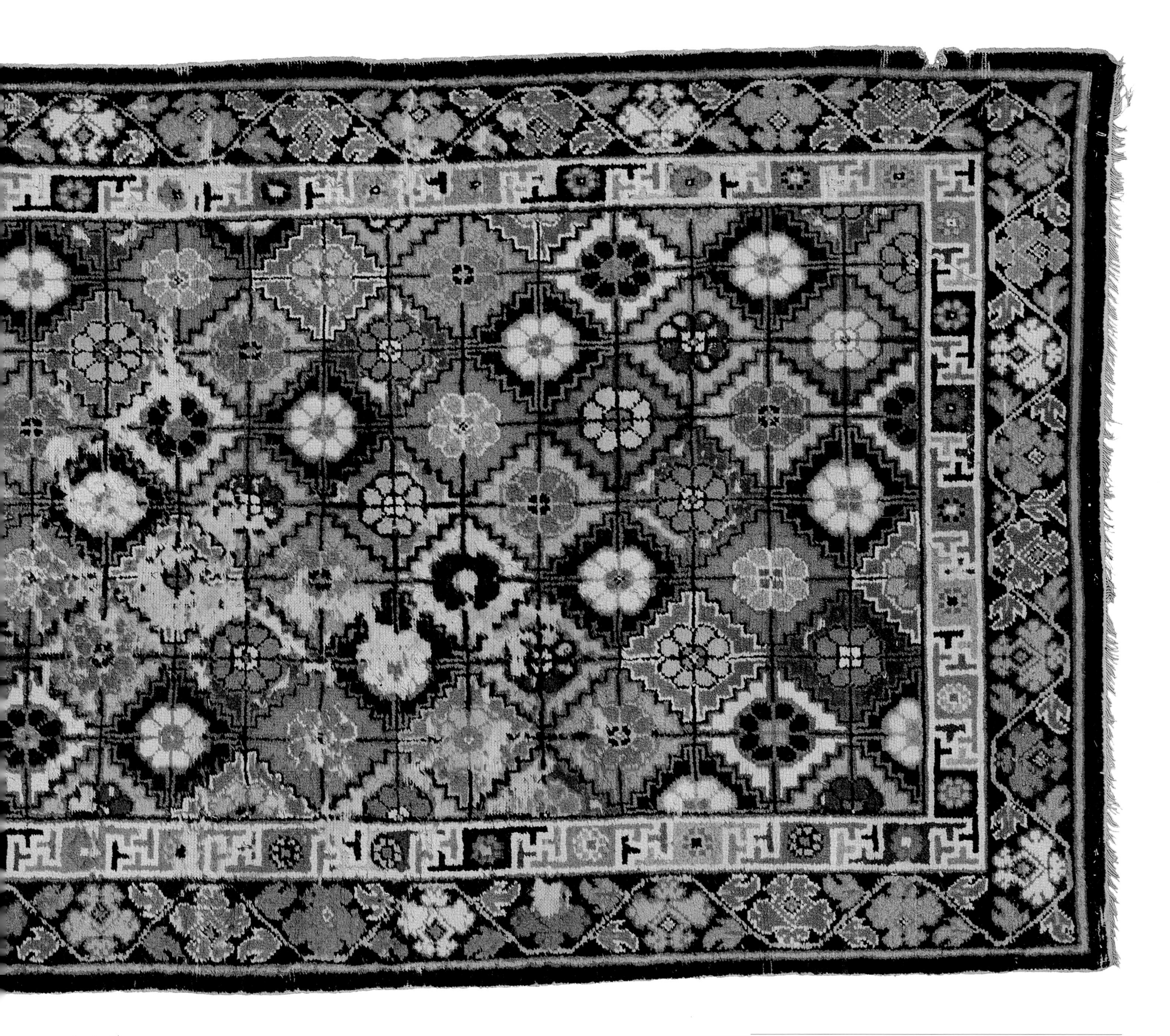

米黄地串枝莲纹栽绒地毯

清早期 / 长 224 厘米 宽 133.5 厘米

绒高 1.2 厘米

宁夏 / 清宫旧藏

此毯为清早期宁夏编织的栽绒毯。毯经纬线均为棉质，纬线分四小股捻一股，为“Z”捻向。挂经织纬，抽绞过纬，每过两道棉纬起一道彩纬，“8”字拴扣，30.5 厘米内起彩纬五十七道。

地毯四周包黄色缎边，设有三道毯边。从外向内第一道为锦纹边，第二道为万字朵花纹边，最内为卷草纹边。毯心主题图案为串枝莲花，花头饱满，与花枝、花叶相连，构成丰满和谐的艺术效果。用色有米色、深蓝色、绛色、香色等，采用冷暖对比与深色勾边相结合，增加了图案的清晰度。

此毯为清初编织物，构图别致，色彩和谐、典雅，尤其是地毯花边、毯心莲花的枝叶，明显留有明代图案的遗风，具有较高的研究价值。

米黄地蓝万字边勾莲纹栽绒地毯

清早期 / 长 205 厘米 宽 143 厘米

绒高 0.5 厘米 穗长 4 厘米

宁夏 / 清宫旧藏

此毯为清早期宁夏编织的栽绒毯。毯地经地纬均为白色棉线，都采用“S”捻向。毛纱三小股捻为一股，每隔两道棉纬起一道彩纬，起绒用彩色羊毛线在经线上拴“8”字扣，30.5 厘米内起彩纬七十二道。

此毯四周饰边框三道，从外向内，第一道为黄色素边，第二道为二方连续牡丹纹，第三道为万字纹，造型规整。毯心图案以缠枝莲纹铺满中心，花纹配色运用了两晕法与深浅二色勾边法，使图案突出，立体感强。此毯用料上乘，构图均匀，花纹饱满，色彩淡雅，编织厚密，为清代早期宁夏地毯作品中的珍品。

黄地回纹边四合如意栽绒地毯

清早期 / 长 340 厘米 宽 185 厘米

绒高 0.8 厘米

内蒙古 / 清宫旧藏

此毯为清早期漠南蒙古编织的栽绒毯。毯地经地纬均为棉线，为“S”形捻向。毛纱三小股捻为一股，起绒部分是用彩色羊毛线在经线上拴“8”字扣而成，每隔两道棉纬起一道彩纬，30.5 厘米内起彩纬七十二道。

此毯毯边饰回纹一道，毯心花纹两排一循环，一排八瓣小朵花、一排四合如意云纹，上下交错排列，组成四方连续纹饰。地毯用色有黄、香色、棕、粉、蓝、月白。

地毯图案简洁、上色明丽。整毯背附麻布里，以便铺用时有效地保护毯基。根据地毯工艺的特征与图案，应是宫廷出纹样，由地方承织的典型。

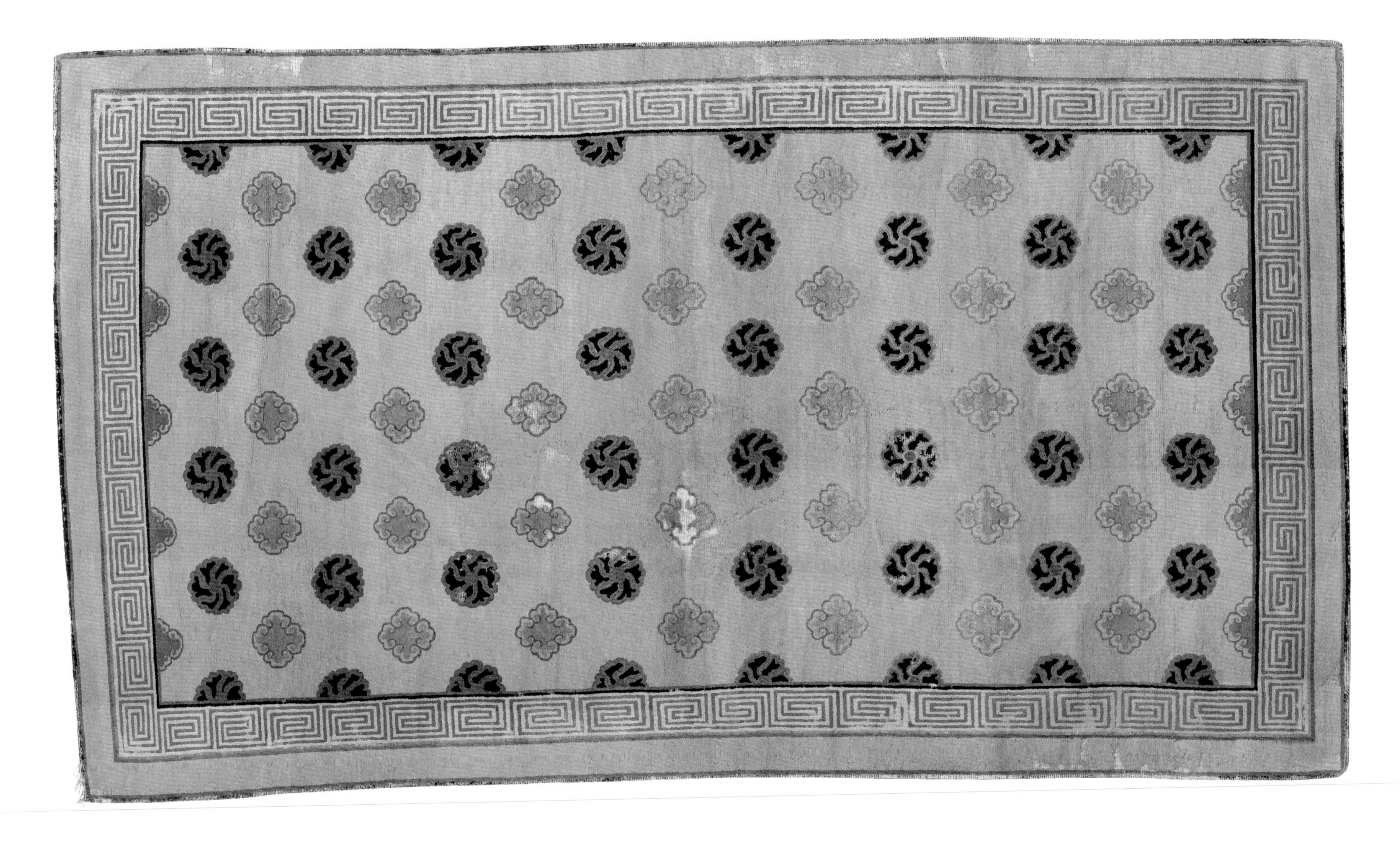

红地海棠开光花卉纹盘金银线栽绒地毯

清康熙 / 长 615 厘米 宽 253 厘米

绒高 0.3 厘米 穗长 12 厘米

新疆 / 清宫旧藏

此毯为清康熙年间新疆编织的盘金银线栽绒毯。经线、纬线均为丝线，两股捻成一股，“Z”向捻。起绒部分为彩色丝线，“8”字扣。每隔三道纬线起彩纬一道，每 30.5 厘米内起彩纬一百八十道。

此毯最外为包边，内有大小三道花边，银线边饰以二方连续的花卉纹，两边纹饰间杂植物与几何图案，为典型的伊斯兰艺术风格。毯心为金线地，以石榴花为“十”字中心，四角对称以石榴花叶和菊花图案，形成菱形的连续海棠式开光图案。周围辅以石榴花、康乃馨等花卉。整个图案布局紧密有序，带有浓郁的新疆民族特色。毯背采用彩色丝线编织成“人”字纹饰，以保护盘金银线免受磨损。用色有绛色、杏黄、胡绿、绯色、宝石蓝、草绿、茶绿等颜色。

整个地毯制作精密，图案色彩华美。

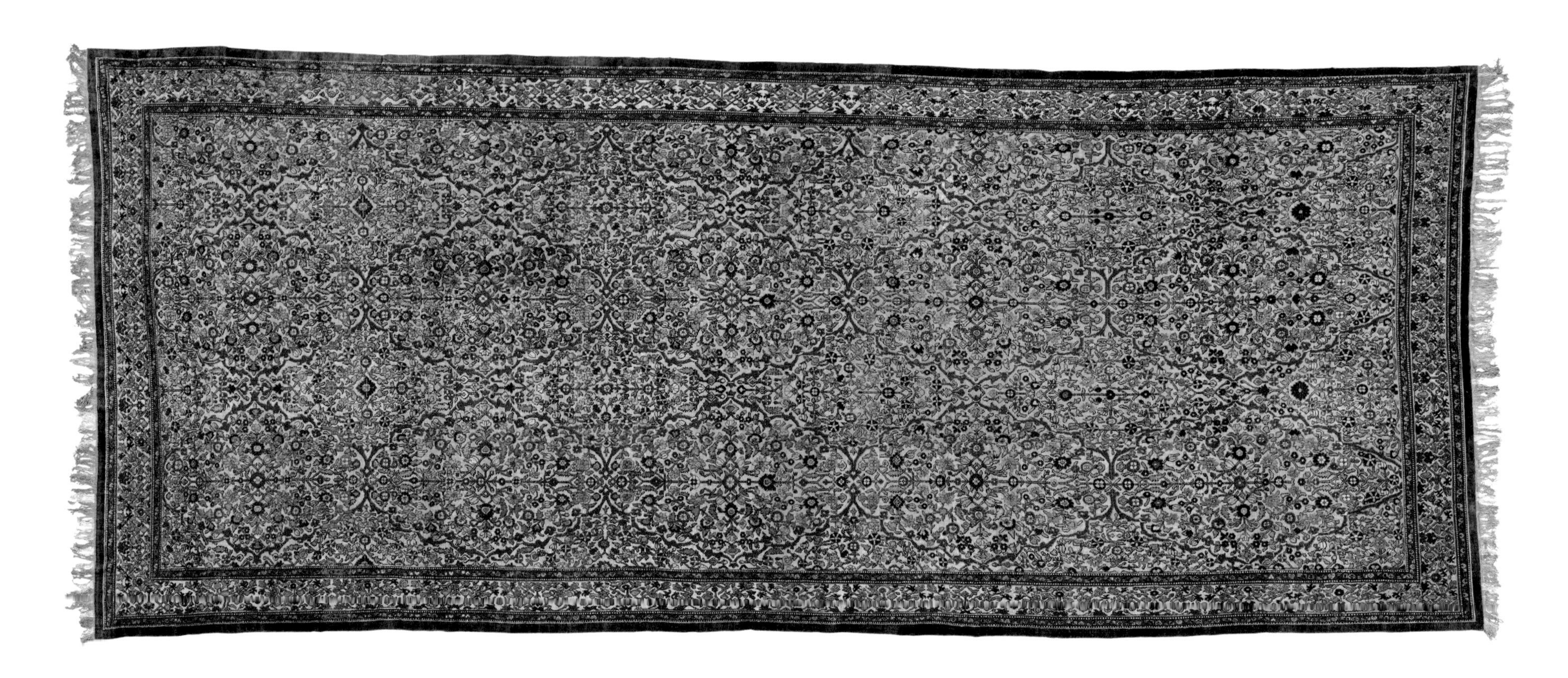

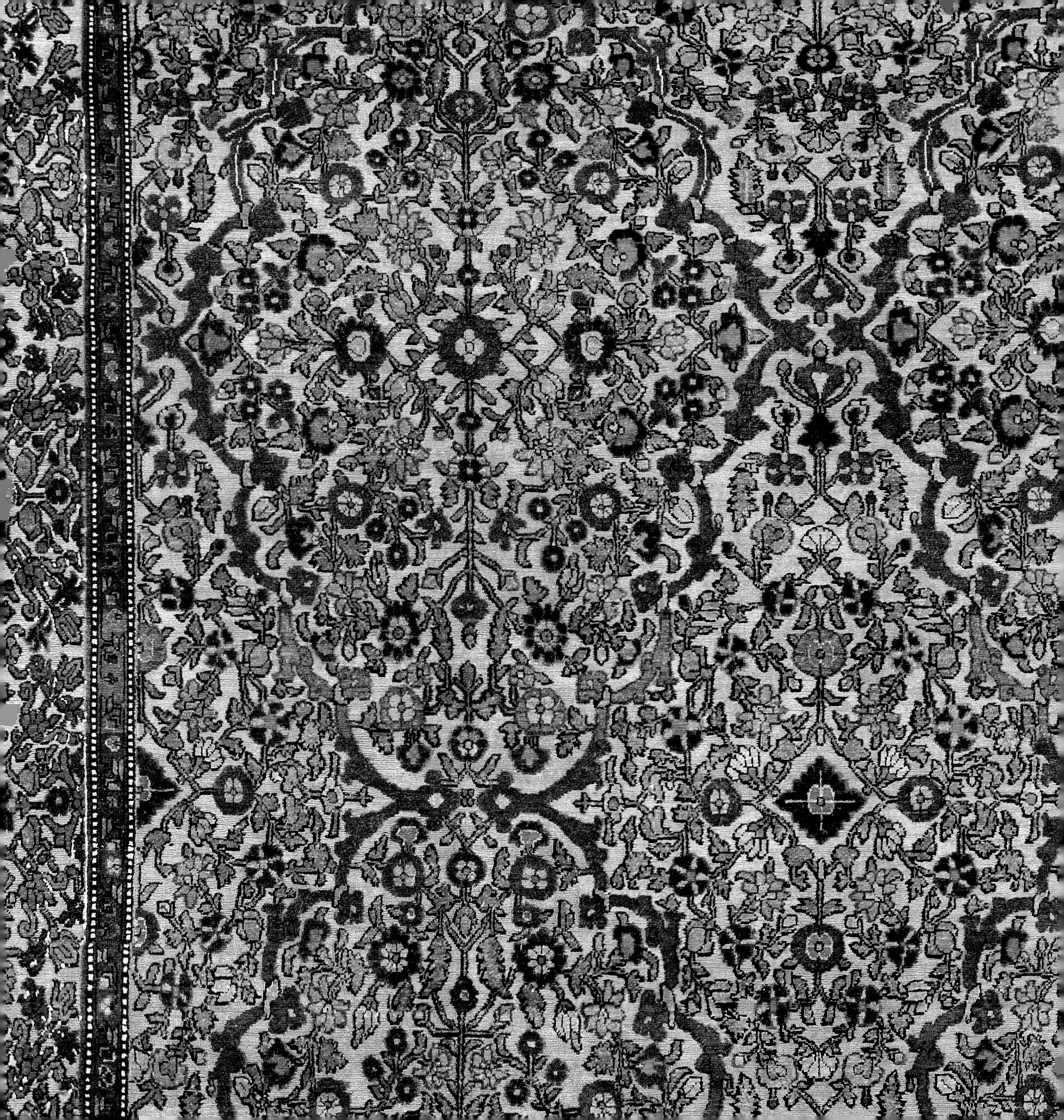

银线边金线心莲枝花纹栽绒地毯

清康熙 / 长 371 厘米 宽 245 厘米

绒高 0.6 厘米 穗长 10 厘米

新疆 / 清宫旧藏

此毯为清康熙年间，新疆编织的盘金银线栽绒毯。经纬线均为丝线，“Z”向捻，每两股线捻成一股，起绒部分为彩色丝线，“8”字扣，每三道纬线起彩纬一道，30.5 厘米内起彩纬一百零四道。

毯通体盘金线，共有大小七道边，主体为二方连续的石榴花纹。毯心主体以近似菱形的石榴花对称十字花纹，内填充石榴花，形成整体四方连续图案，简洁规整。此毯用宝石蓝、月白、绛色、姜黄、明黄、绿色、黑色等颜色。花纹以深色线勾边，对比层次突出，具有浓郁的新疆民族特色。

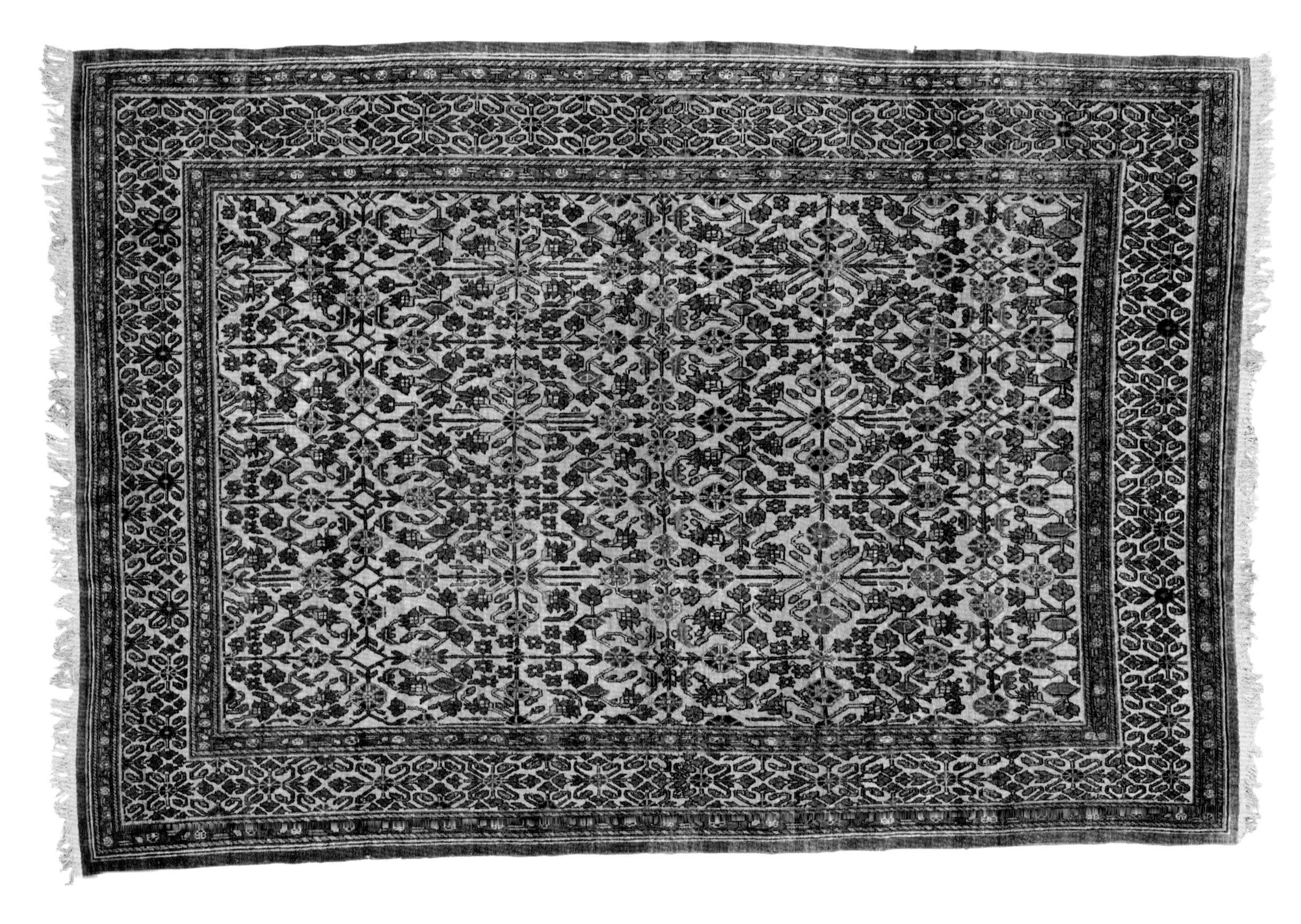

黄地正龙纹栽绒地毯

清雍正 / 长 378 厘米 宽 360 厘米

绒高 1 厘米

北京 / 清宫旧藏

此毯为清雍正年间北京官方编织的栽绒毯。清代宫殿内用毯。毯基为丝经丝纬，经线“S”向捻，纬线“Z”向捻，“8”字结扣，每两道纬线起彩纬一道。

此毯大小共三道边，外为素边，中间饰以连续卷草纹，内边为回纹，含有“幸福无边”的寓意。主体图案为正龙戏珠，正龙怀抱火珠，象征着君临天下的威严。辅助图案为如意形的朵云、流云和蘑菇云，有“吉祥如意”的意义。毯用棕色、木红、杏黄、蓝色、绯色、绿色等颜色。

整个地毯结构组织紧密，构图比例谐调，图案沉稳大气，色彩庄重凝致。地毯正龙上方一处因摆放屏风而留下鲜艳的木红色。又根据地毯的尺寸，清宫三大殿的旧照片，佐证是清代中和殿地平上铺设的地毯。

中和殿内地平上铺设的正龙纹栽绒地毯。

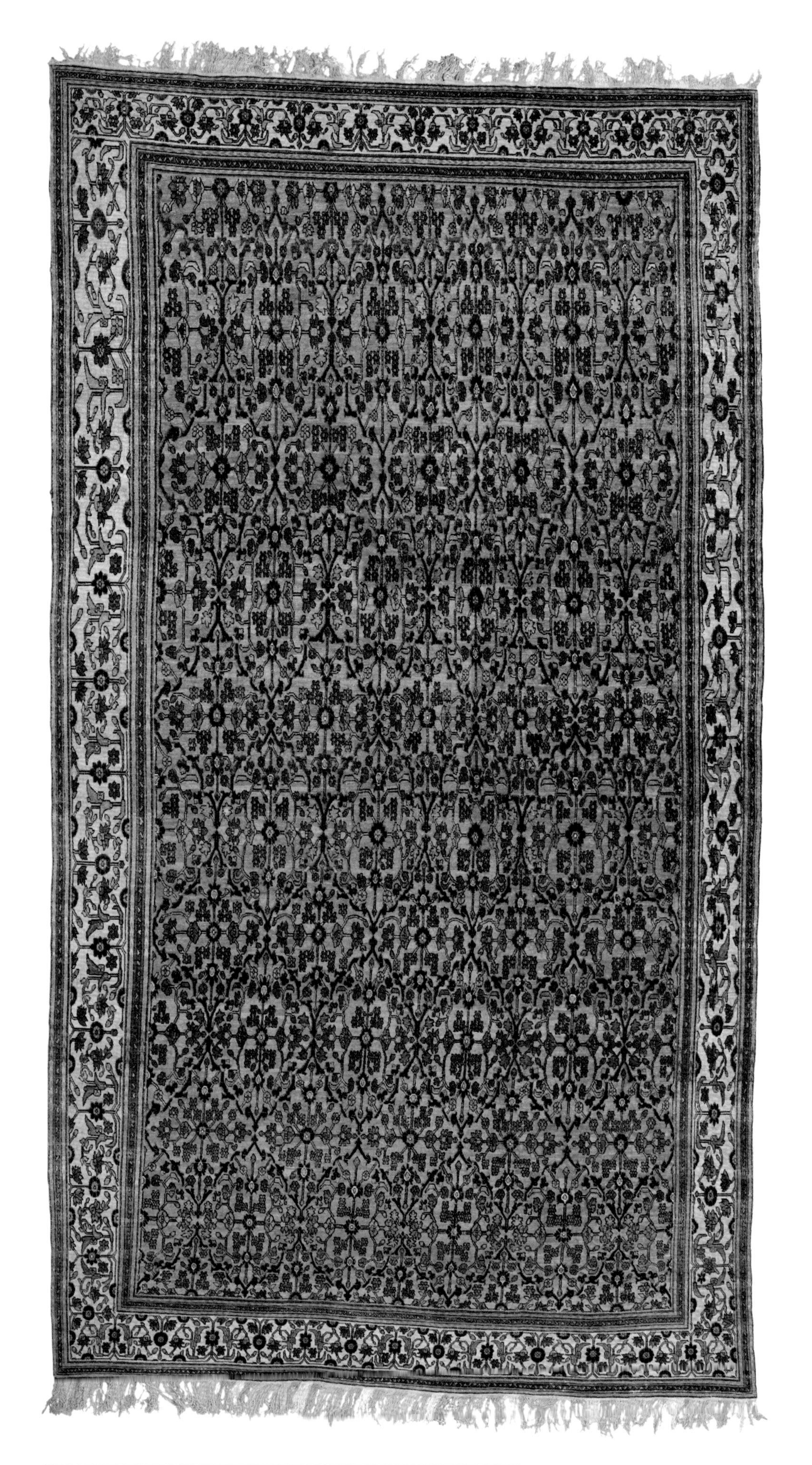

银线边金线心莲枝花纹栽绒地毯

清乾隆 / 长 470 厘米 宽 263 厘米

绒高 0.3 厘米 穗长 13 厘米

新疆 / 清宫旧藏

此毯为清乾隆年间新疆编织的盘金银线栽绒毯。所谓盘金银线是指以金银线在地毯的经线上横向缠绕，随着前后经线的交错，毯面呈现出由金银线盘成的“人字纹”。因金银线是在地毯不显花的部位盘绕，所以对彩色栽绒组成的图案，有着极好的装饰效果。

毯丝经、丝纬均“Z”向捻，每两股合一股，“8”字拴扣；每三道纬线起彩纬一道，每 30.5 厘米内起彩纬 一百零五道。

此毯周围大小共七道边饰，主体为银线地二方连续石榴花卉纹。毯心金线地，开光内以“十”字为骨架，对称编织石榴花，辅以对称的串花。周围以石榴花叶及串花作辅助图案，并以深色勾边，以颜色的深浅突出花纹。此毯选用绛、月白、姜黄、胡绿、绯色、宝石蓝、浅绿、茶绿等颜色。毯背以彩色丝线编织成“人字纹”保护金银线，美观实用。

整个地毯结构组织细密，图案紧凑雅致，颜色亮丽，带有浓郁的民族特色。

银线边金线心花卉纹栽绒地毯

清乾隆 / 长 346 厘米 宽 212 厘米

绒高 0.3 厘米 穗长 12 厘米

新疆 / 清宫旧藏

此毯为清乾隆年间新疆编织的盘金银线栽绒毯。地毯棉经棉纬均为“Z”向捻，三股合一股。起绒部分为彩色丝线，“8”字结扣；每三道纬线起彩纬一道，每 30.5 厘米内起彩纬九十六道。

毯共有大小七道边饰，主体为二方连续的石榴花卉纹。主体图案以扇形棕榈叶为十字中心对称，辅以康乃馨、郁金香和四瓣花等，花叶灵动自然，图案错落有序，并以深色线勾边，以色彩中的深浅对比来表现效果。此毯选用姜黄、桃红、宝石蓝、月白、艾绿、浅黄、茶绿、黑色等颜色。

此毯结构匀称，图案飘逸雅致，是清乾隆年新疆进贡盘金银丝线毯的精品之一。

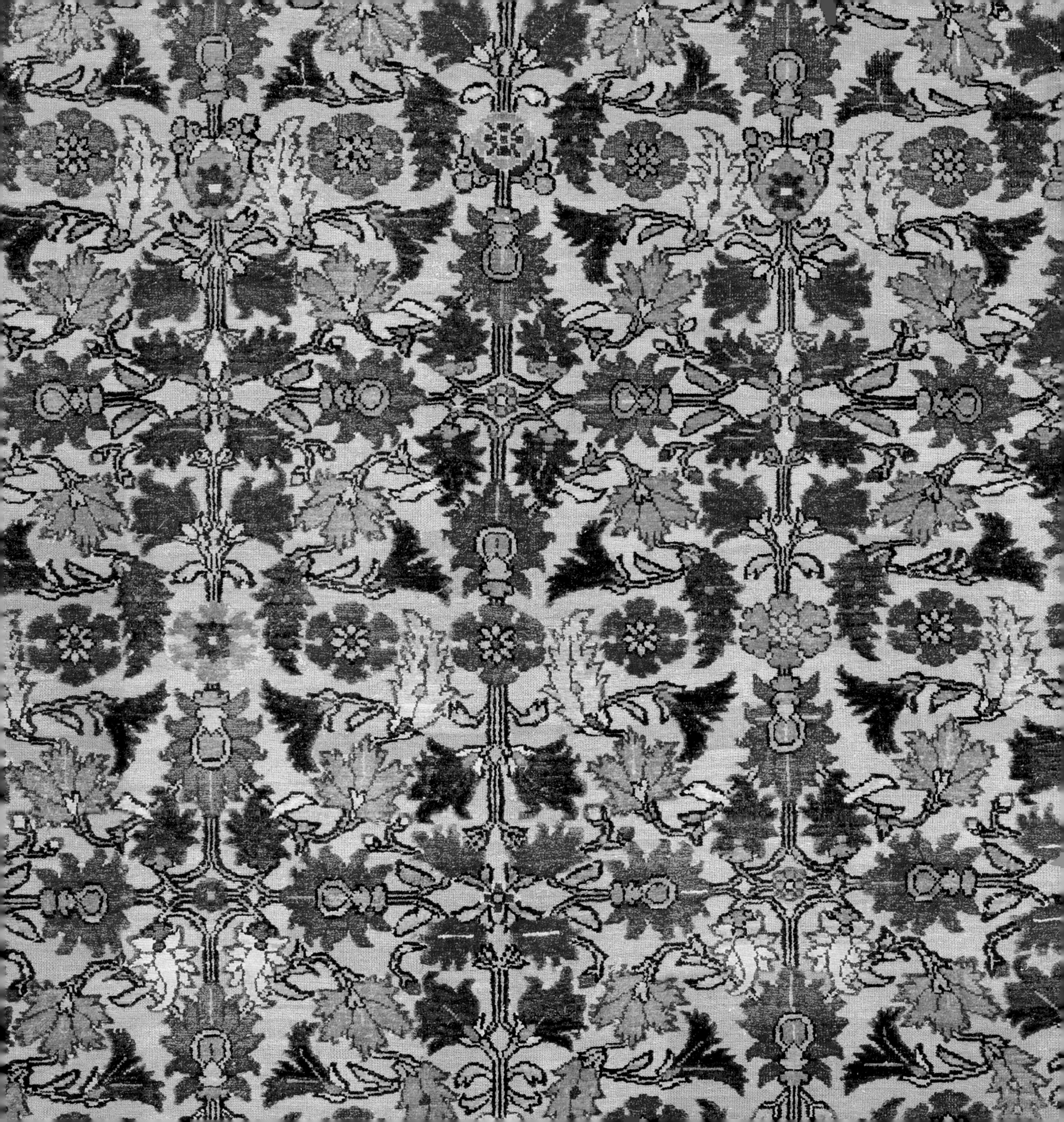

黄地万字边花卉纹栽绒地毯

清乾隆 / 长 305 厘米 宽 197 厘米

绒高 0.5 厘米

新疆 / 清宫旧藏

此毯为清乾隆年间新疆编织的栽绒毯。毯基为棉经、棉纬，经纬线均由三股线捻成，“Z”向捻。起绒部分为彩色丝线，“8”字扣，每隔两道纬线起彩纬一道，30.5 厘米内起彩纬一百六十五道。

此毯大小共五道边，除最外的素边外，中饰两道回纹边，另两道边为连续如意云头纹，寓意吉祥如意。主体图案为四方连续的花叶纹，以深色线勾叶纹边，层次对比突出。用茶绿、绛红、月白、蓝、浅棕、浅粉、浅湖绿、白色等颜色。

此毯所用丝线质量上成，编制细密，图案规整，构图比例协调，色彩亮丽。

银线边金线心花卉纹栽绒地毯

清乾隆 / 长 342 厘米 宽 197 厘米

绒高 0.5 厘米 穗长 12 厘米

新疆 / 清宫旧藏

此毯为清乾隆年间新疆编织的盘金银线栽绒毯。毯以彩色丝线作底经、底纬。栽绒拴“8”字扣，每隔三道纬线起一道彩纬，30.5 厘米内起彩纬九十二道。

毯地以三股加捻的圆金线和两股加捻的圆银线横向编织人字纹，其背面用杏黄丝线横向人字纹，用以保护毯基。

地毯花边由三道组成，第一道二方连续花卉纹，第二道委角纹，第三道二方连续花卉纹。毯心由新疆传统的花卉图案组成四方连续纹样。

银线边金银线地花卉纹栽绒地毯

清乾隆 / 长 347 厘米 宽 199.5 厘米

绒高 0.3 厘米 穗长 12 厘米

新疆 / 清宫旧藏

此毯为清乾隆年间新疆编织的盘金银线栽绒毯。毯地经地纬均为白色未染棉线，每隔两道棉纬起一道彩色丝纬。“8”字扣拴头，每 30.5 厘米起彩纬一百零八道。

毯以三股加捻的圆金线和两股加捻的圆银线横向编织成人字纹，背面用黄色丝线编织人字纹。以保护毯基铺用时免受磨损。毯边由三道组成，毯心石竹、郁金香、扇形棕榈叶，并辅以团花、枝叶等组成四方连续纹样。地毯用色有绛、深蓝、浅蓝、桃粉、绿、杏黄、黑等。

此毯做工精致，毯面平薄。应是专为皇宫编织的。

金线地回纹边牡丹花纹栽绒花毯

清乾隆 / 长 568 厘米 宽 295 厘米

绒高 0.6 厘米 穗长 12 厘米

新疆 / 清宫旧藏

此毯为清乾隆年间新疆编织的盘金银线栽绒毯。毯以黄色棉线作经，白色棉线作纬，每隔三道棉纬起一道彩纬，起绒部分为彩色丝线，"8" 字结扣，每 30.5 厘米起彩纬九十道。

毯用五道花边作为主体图案的陪衬，用加捻的金线盘编作地，内起彩色丝绒花卉，由回纹、串枝牡丹纹、莲花纹组成二方连续纹样。毯心亦用金线盘编作地，起绒部分由牡丹、石榴花、菊花等花纹组成四方连续图案。毯中心还别具匠心地设计了一个盛开的牡丹图案，纹饰具有写实效果，鲜明突出，生机勃勃，寓意吉祥富贵。色彩上选用木红、月白、白、浅绿、豆绿、蓝绿、黄、金黄、深蓝、浅蓝、粉红、驼雪灰、黑等。在配色上运用了两晕色、三晕色与黑线勾边，丰富了图案的层次感，增加了装饰效果。

金银线地缠枝花纹栽绒地毯

清乾隆 / 长 312 厘米 宽 208 厘米

绒高 0.3 厘米 穗长 10 厘米

新疆 / 清宫旧藏

此毯为清乾隆年间新疆编织的盘金银线栽绒毯。毯以合股的金银线横向编织成人字纹。地经用丝线，地纬用棉线，四小股捻为一股棉线，挂经织纬，经线为“Z”捻向，纬线为“S”捻向。起绒部分为彩色丝线，每隔两道棉纬拴一道“8”字扣，每 30.5 厘米起八十道彩纬。

毯四周由大小三道边框组成，从外向内，第一道小边框为缠枝花纹，第二道大边框为二方连续缠枝莲纹，第三道小边框为缠枝花纹。每道边框间以连珠纹饰作陪衬。毯心以“十”字为骨架，对称编织棕榈叶、百合花，再以枝蔓围绕成方形，并饰有巴旦姆花纹。由新疆传统的花卉巴旦姆图案组成四方连续纹样。毯心颜色有深蓝、浅蓝、绿、杏黄、粉红、红、白等颜色。在配色上运用了退晕与深色勾边的手法，使花地层次分明，主体图案突出。

巴旦姆是巴尔鲁克山区的野果及南疆地区的园艺果实，称为“新疆扁桃”。巴旦姆图案或为粉饰添加的丰满形象或呈几何形态，由于它的尾端偏向一方，具有一种自然动态美的形象，为新疆人们所喜爱。

金线地花卉纹栽绒地毯

清乾隆 / 长 284 厘米 宽 171 厘米

绒高 0.3 厘米 穗长 12 厘米

新疆 / 清宫旧藏

此毯为清乾隆年间新疆编织的盘金银线栽绒毯。地毯经纬线均为棉质，"Z"捻向，挂经织纬，抽绞过纬，拴"8"字扣，起绒部分为彩色丝线，每隔两道棉纬起一道彩纬，30 .5 厘米内起彩纬七十九道。

毯边四道，从外向内，第一道为连珠花边，第二道至第四道均为花卉纹边。毯心由新疆传统的花卉图案组成四方连续纹样，内用三股加捻的圆金线在经线上编织横向"人"字纹。

此毯编织精细，花纹丰满，色彩丰富协调，起绒短而平滑，装饰风格具有浓郁的地方特色。

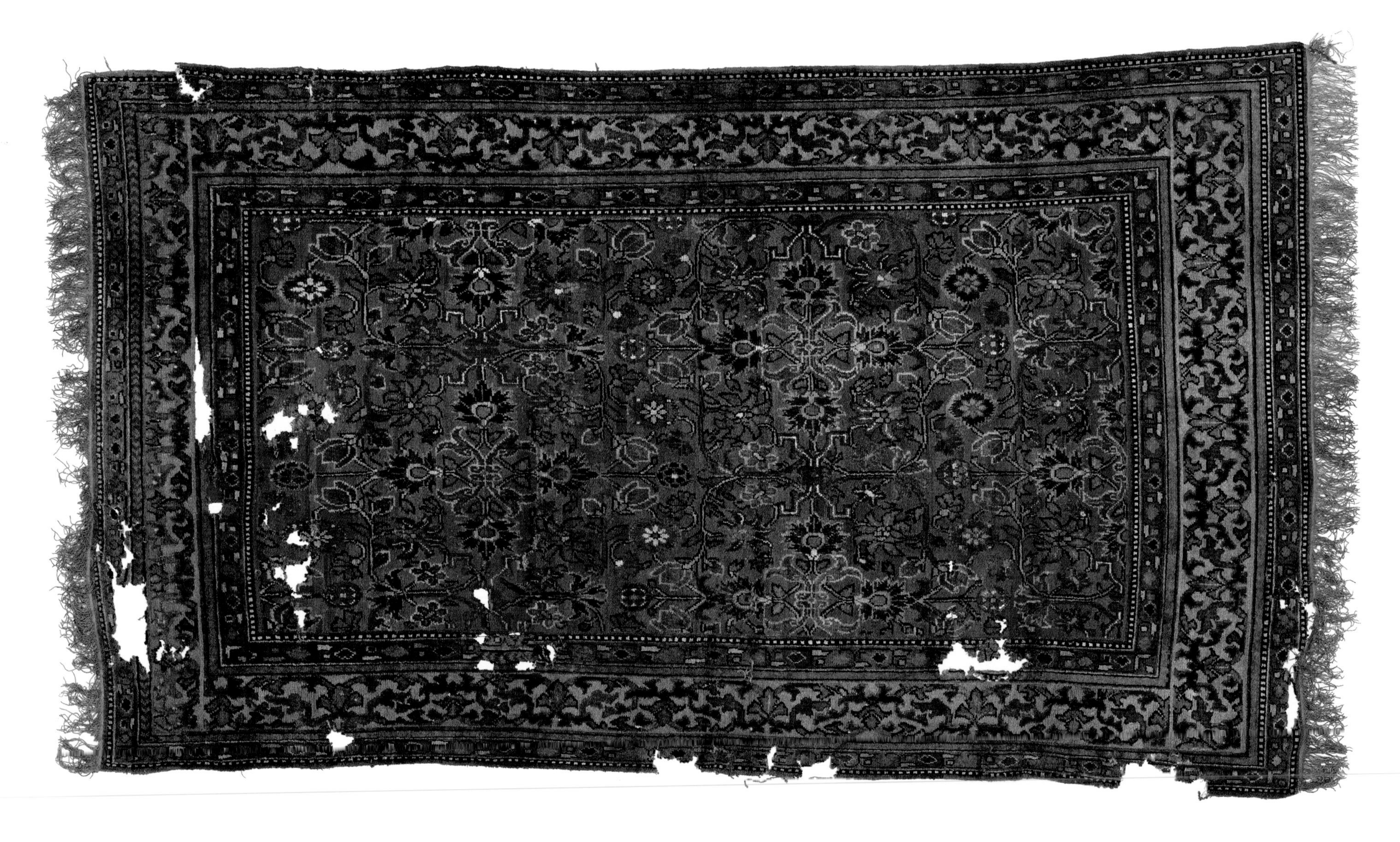

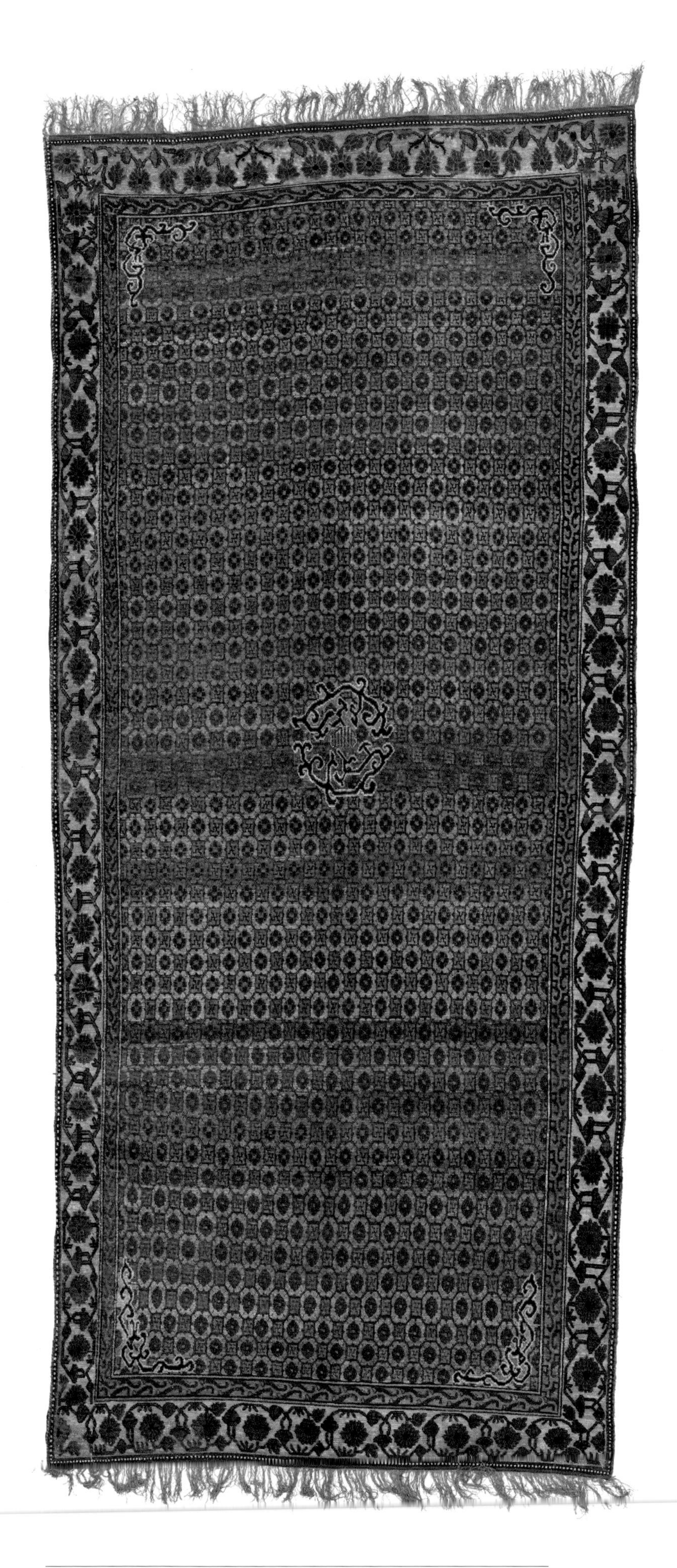

红地万字梅花纹盘金银线栽绒丝毯

清中期 / 长 410 厘米 宽 183 厘米

绒高 0.3 厘米 穗长 13 厘米

新疆 / 清宫旧藏

此毯为清中期新疆编织的盘金银线栽绒毯。毯经纬线、起绒部分为丝线。纬线四股合一股，捻线为“Z”形，“8”字扣拴头，每隔三道纬线起一道彩纬，30.5 厘米内起九十七道彩纬。

此毯设三道边饰，最外边是连珠纹，第二道是二方连续的菊花纹，最内为花卉纹。毯心在红的地色上编织四方连续的梅花图案，其中间饰是由两条夔龙捧团寿字，四角饰抱角夔龙纹。地毯施色有蓝、白、黄、绿、木红及金、银线。其用色以暖色调为主，色彩运用主要采用间色，如红配绿、红配蓝等，装饰的花纹浓艳醒目。由于地毯采用盘金银线工艺，形成银线边、金线地效果，使整毯华美异常。

地毯编织细密、用料上乘、工艺复杂，色彩艳丽、图案美观。尤其地毯的编织采用新疆维吾尔族传统工艺，但构图中梅花、夔龙等又是典型内地的传统纹样。这种传统编制工艺与内地花纹相融合的现象，成为清中期以后南疆编织地毯的流行趋势。

银线边金线地花卉纹栽绒地毯

清乾隆 / 长 333 厘米 宽 164 厘米

绒高 0.2 厘米

新疆 / 清宫旧藏

此毯为清乾隆年间新疆编织的盘金银线栽绒毯。毯基以棉经、棉纬编织，经纬线均为“Z”向捻，“8”字扣，每过两道纬线起彩纬一道，每 30.5 厘米内起彩纬一百七十道。

纹饰为新疆传统的石榴花图案。毯边为银线地，饰以二方连续的石榴花图案。主体为金线地，图案为中心对称的石榴花叶图案。用木红、宝蓝、湖蓝、烟色、黄绿、月白、橘黄等颜色。

整个地毯编织细密，色彩亮丽，构图协调，带有浓郁的民族特色，是清中期典型的回疆编织地毯。

金银线地花卉纹栽绒地毯

清中期 / 长 398 厘米 宽 210 厘米

绒高 0.4 厘米 穗长 13 厘米

新疆 / 清宫旧藏

此毯为清中期新疆编织的盘金银线栽绒毯。毯棉经丝纬，经线二股合一股，纬线四股合一股，经纬线捻向为“Z”形。起绒部分以彩色丝线拴“8”字扣，每 30.5 厘米起彩纬一百零三道。

此毯有大小七道边，图案分别为连珠纹、花叶纹，主花边石榴花叶纹。毯心主以“十”字为骨架，对称编织六朵菊花，以此形成长方形的图形，主花纹的空余部位以小菊花填充。用色有宝石蓝、绿、木红、黑、白、月白、姜黄，配色采用冷暖对比法。花纹疏密有致，色彩艳丽，尤其施用绿色，使花纹更加亮丽。

银线边金线心花纹栽绒地毯

清中期 / 长 555 厘米 宽 366 厘米

绒高 0.5 厘米 穗长 13 厘米

新疆 / 清宫旧藏

此毯为清中期新疆编织的盘金银线栽绒毯。地毯采用棉经、棉纬，经线三股合一股，纬线二股合一股。经线捻向为“Z”形，纬线捻向为“S”形。起绒部分以彩色丝线拴“8”字扣，30.5 厘米内起彩纬七十道。

此毯有大小七道花边，主花边为二方连续的锦纹。毯心大地内以“十”字为骨架，对称编织扇形棕榈叶、石榴花、郁金香，以此形成菱形花纹，并按四方连续的构图法，布满整毯。主花纹外又以菊花、百合花、小团花等作辅助花纹。用色有蓝、粉、红、棕、黑、绛、绿等颜色，地毯以盘金银线做地色，形成银线边、金线地。装饰效果富丽堂皇。

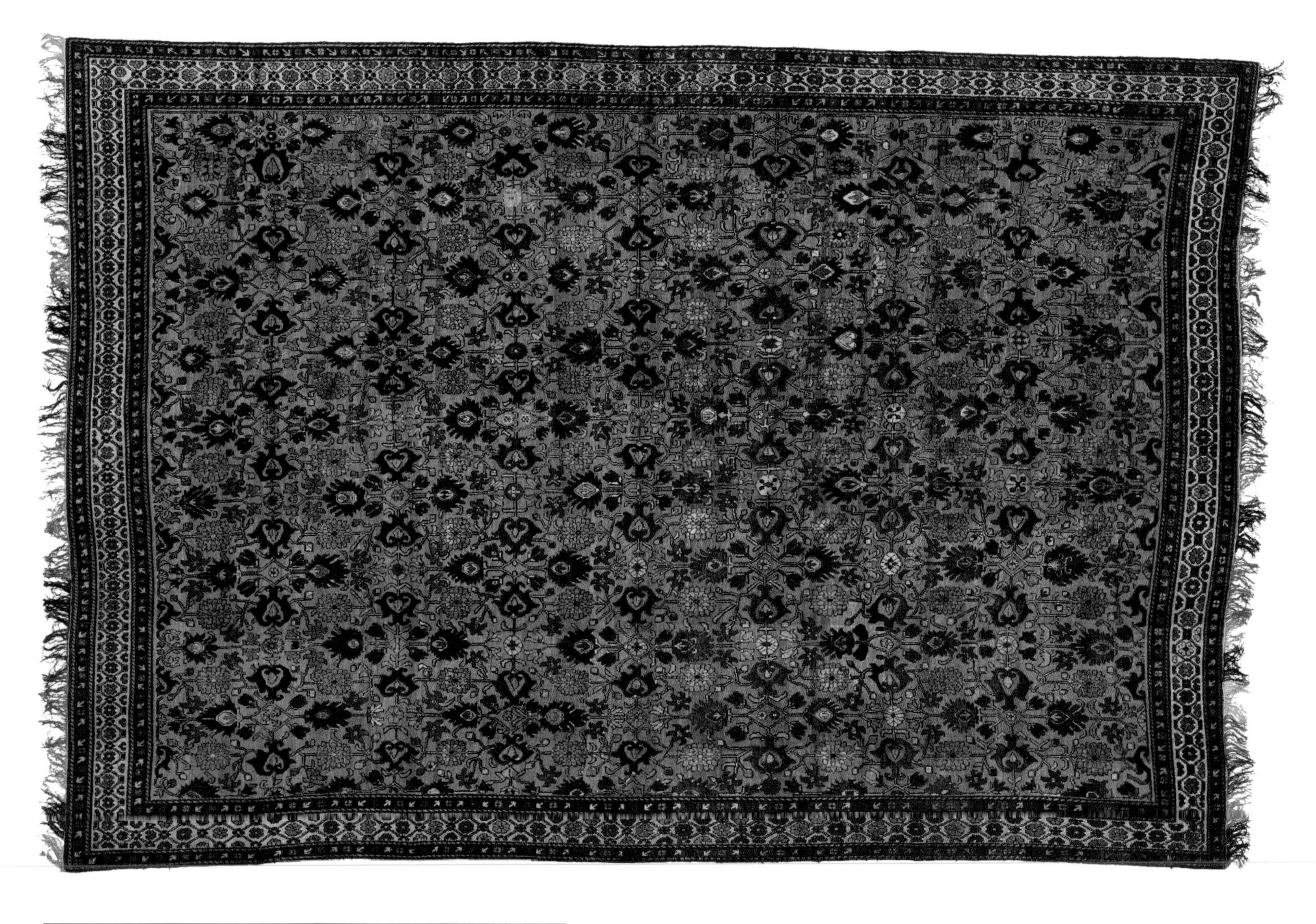

银线边金线心花卉纹栽绒地毯

清中期 / 长 370 厘米 宽 194 厘米

绒高 0.2 厘米

新疆 / 清宫旧藏

此毯为清中期新疆编织的盘金银线栽绒毯。毯采用丝经、丝纬，经线五股合一股，纬线四股合一股。经线捻向为“Z”形，纬线捻向为“S”形，起绒部分以彩色丝线拴“8”字扣，每 30.5 厘米起彩纬七十五道。

此毯设有七道边，主花边为二方连续的菊花纹，毯心主图案以十字为骨架，对称编织菊花，辅助图案则是以菊花、花叶填充。用色有红、绿、棕、绛红、木红、蓝等，配色以冷暖色对比，有效的增加了毯整体花纹的装饰效果。

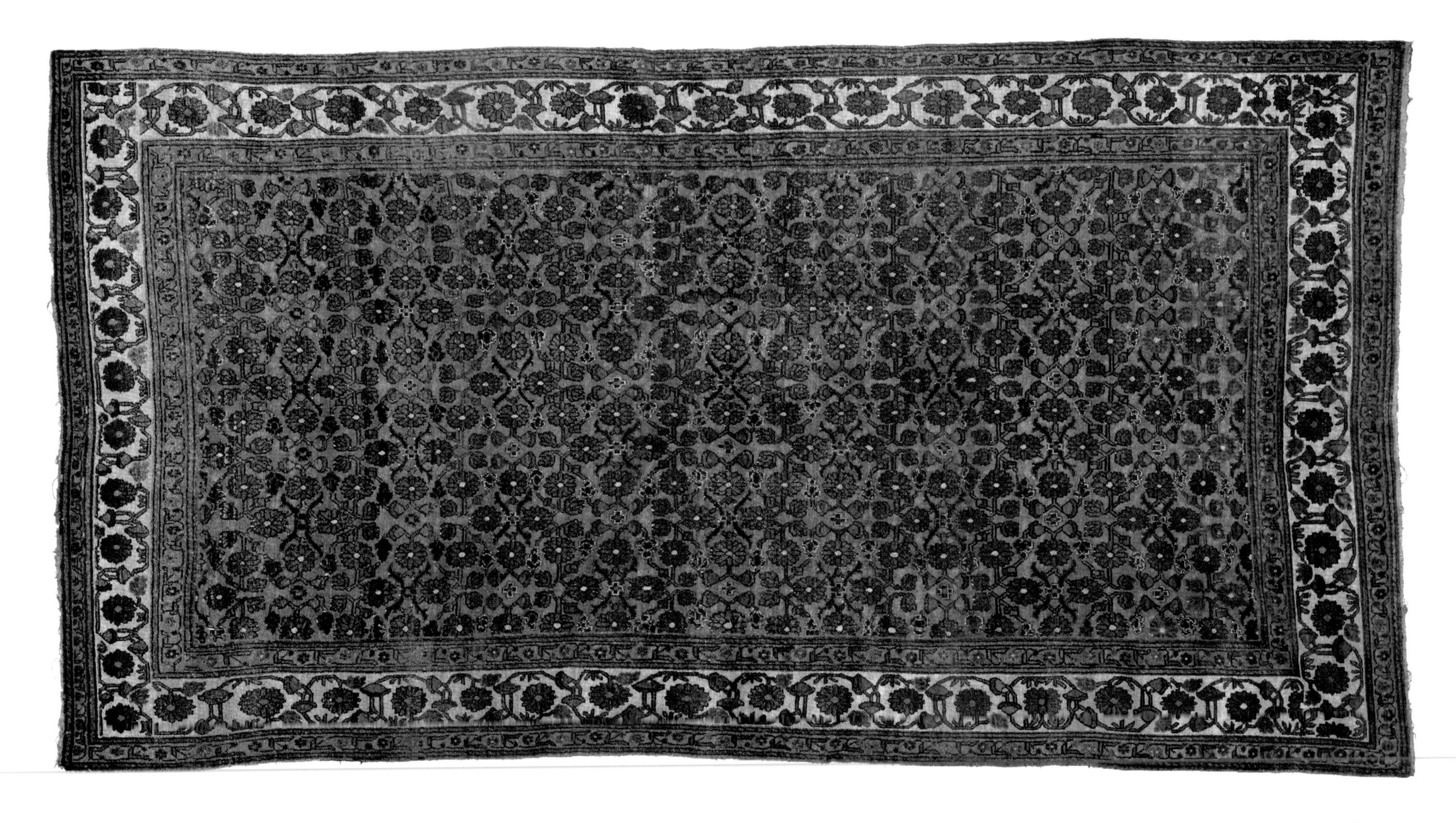

银线边金线心花卉纹栽绒地毯

清中期 / 长 306 厘米 宽 163 厘米

绒高 0.5 厘米

新疆 / 清宫旧藏

此毯为清中期新疆编织的盘金银线栽绒毯。地毯采用棉经、丝纬，经线五股合一股，纬线四股合一股，捻向均为“Z”形，起绒部分以彩色丝线“8”字扣栓头，30.5 厘米内起九十八道彩纬。

此毯设有大小不等的七道花纹边。毯心以“十”字为骨架饰菊花，并以四方连续的形式布满整毯。用色有宝石蓝、茶绿、月白、绛色、黑、月白、黄等，整毯以绿色为主色调。

此毯编织中加入了盘金银工艺，以银线盘于毯边、以金线盘于毯心。毯心图案排列整齐，色彩运用通过冷暖色对比，使花纹富于变化，具有一定的立体效果。

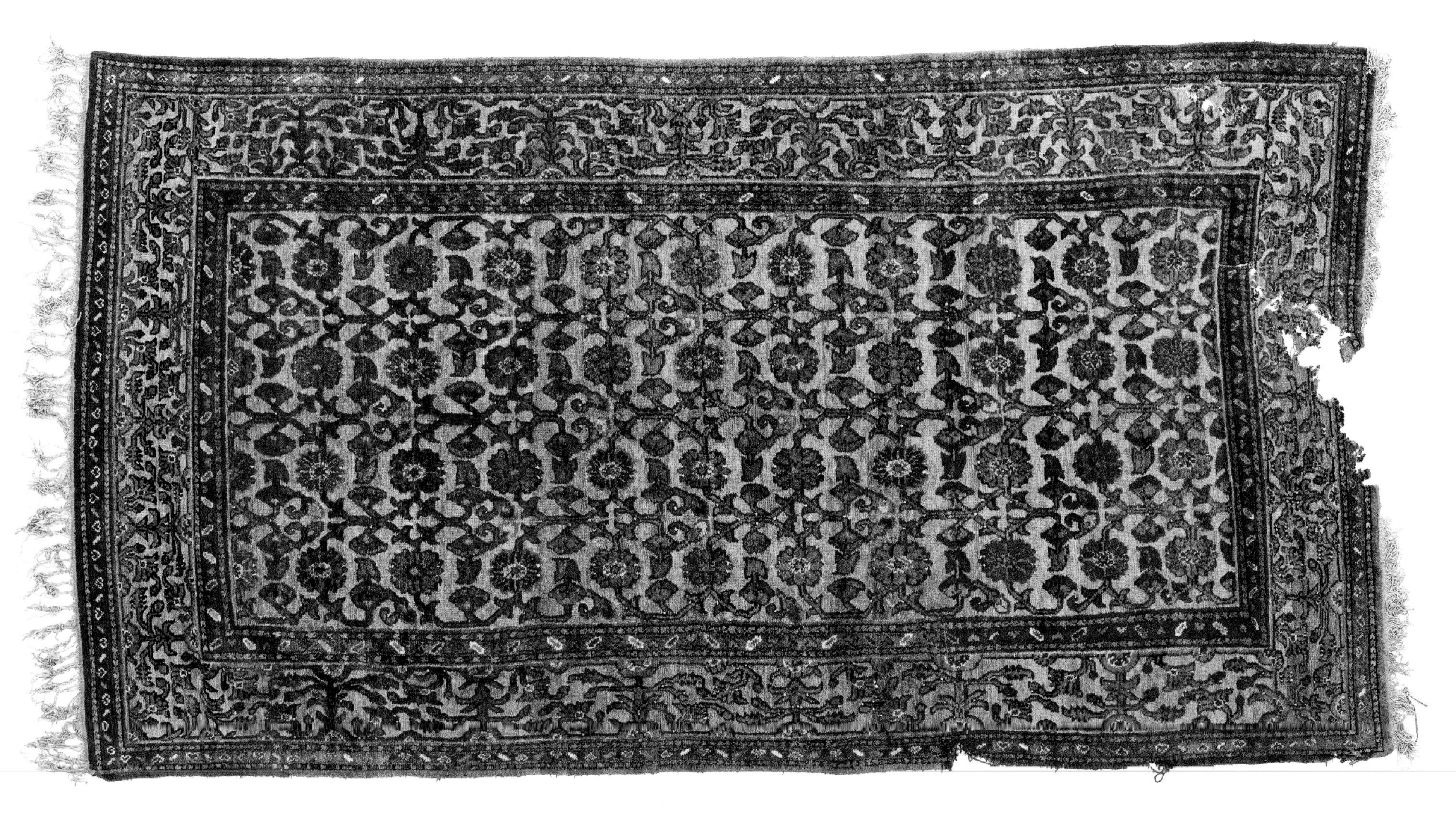

红地锦边五枝花栽绒地毯

清中期 / 长 325 厘米 宽 176 厘米

绒高 0.7 厘米

新疆 / 清宫旧藏

此毯为清中期新疆编织的盘金银线栽绒毯。毯为棉线经纬，经线为五股合一股，纬线为三股合一股，捻向均为“Z”形，起绒部分以彩色丝线“8”字扣栓头，30.5 厘米内起九十八道彩纬。

此毯有五道花边，从外到内依次为石榴花叶边、宽锦纹、连珠纹、石榴花叶纹、连珠纹。毯心以曲线为骨架，上饰五枝花。颜色有绛、黄、浅蓝、白、绿、月白，为植物染色。

主图案的五枝花，因每朵花由八个花瓣或四瓣花组成，好似盛开的迎春花，故又有“迎春花”之美名。五枝花图案，是新疆维吾尔族栽绒毯中的传统花纹之一。

银线边金线地石榴花纹栽绒地毯

清中期 / 长 300 厘米 宽 186 厘米

绒高 0.35 厘米 穗长 2.5 厘米

新疆 / 清宫旧藏

此毯为清中期新疆编织的盘金银线栽绒毯。地毯采用丝经、丝纬，经线捻向为“Z”形，纬线捻向为“S”形，每隔三道纬线起一道彩纬。起绒部分以彩色丝线拴“8”字扣，每 30.5 厘米起六十七道彩纬。

此毯有大小七道边，主花边为石榴花卉纹。毯心内以菱形为骨架，在骨架外编织石榴花纹，并以四方连续的形式布满整毯。用色有绛、宝石蓝、月白、姜黄、茶绿。采用盘金银线工艺，呈现出银线边、金线地的华丽色彩。

清代维吾尔族编织的栽绒毯，常见有七道花边。其原因是，“七”正是穆斯林崇尚的数字。《古兰经》第一章“法蒂哈”有七节经文，故有“常念七节”之说。同时，清真寺的台阶是七级、礼拜寺窗户是七扇、每隔七天要在清真寺举行集体礼拜，可见“七”这一数字在穆斯林们心中，既神圣，又视为带给人们好运的吉祥数。

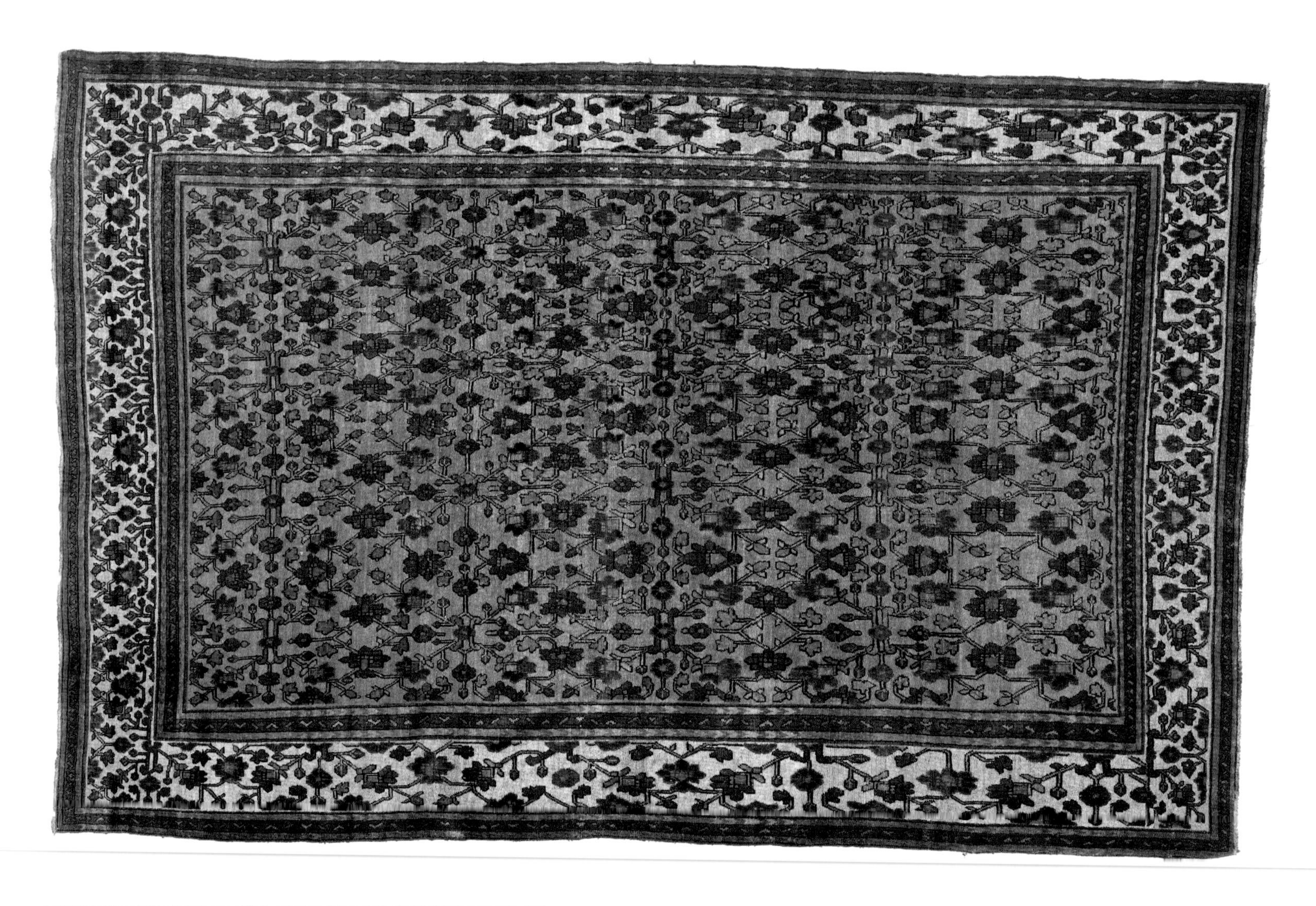

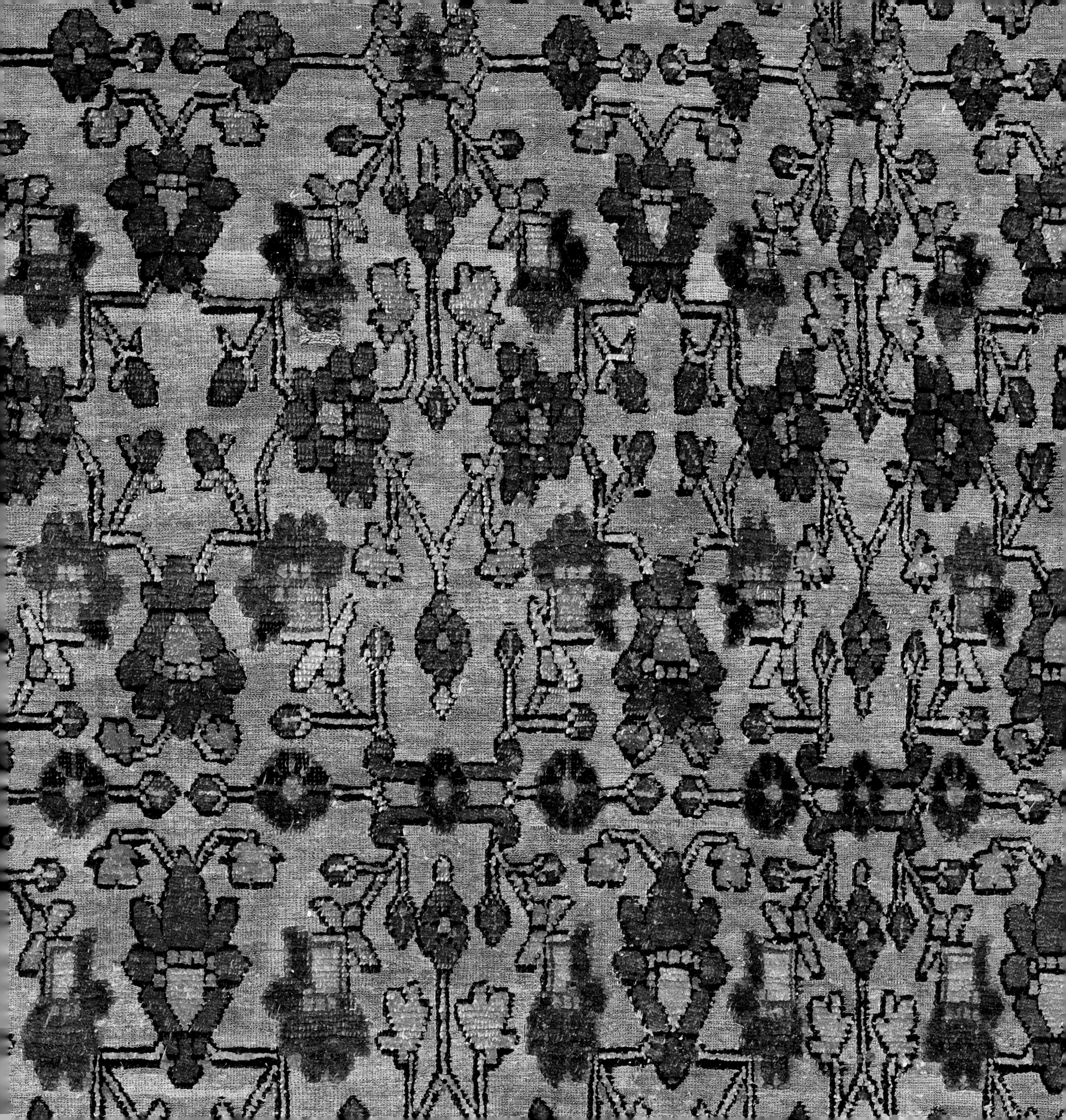

红地盘金线花卉纹栽绒地毯

清中期 / 长 364 厘米 宽 200 厘米

绒高 0.4 厘米 穗长 7.5 厘米

新疆 / 清宫旧藏

此毯为清中期新疆编织的盘金银线栽绒毯。地毯采用丝经、丝纬，经线四股合一股，纬线三股合一股，捻向均为“Z”形。起绒部分以彩色丝线拴“8”字扣，每 30.5 厘米起一百一十道彩纬。

此毯共有大小毯边七道，主花边为二方连续的锦纹。毯心构图分内外重，内重以十字为轴心，编织石榴叶纹；外重则围绕主花纹编织菱形。用色有绛、宝石蓝、月白、姜黄、茶绿等。

此毯运用了盘金线工艺，图案规整、花纹主次分明。冷暖色的对比，增加了花纹的美感。

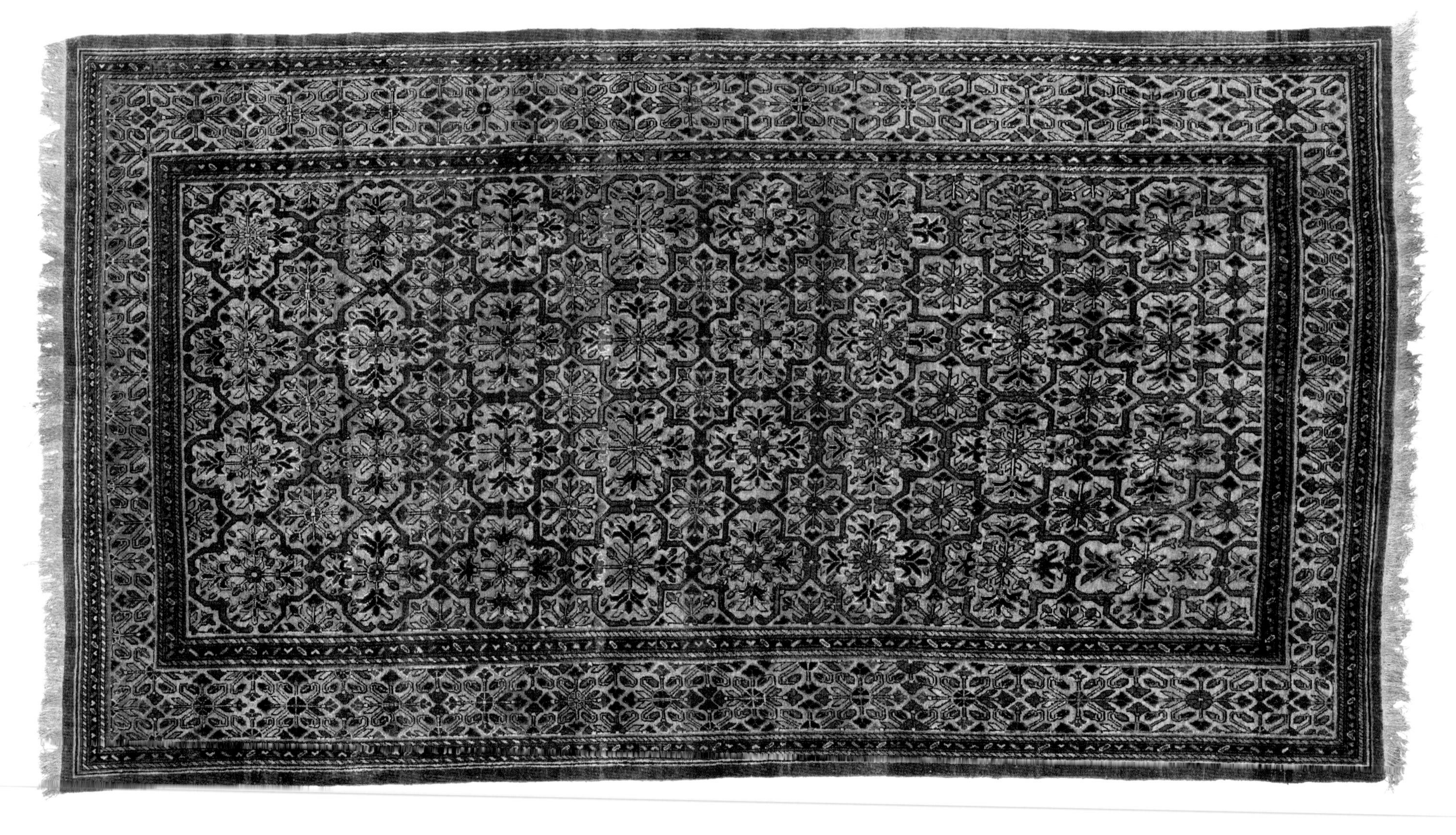

乳白地蓝团万字纹栽绒地毯

清中期 / 长 245.5 厘米 宽 144 厘米

绒高 1 厘米 穗长 5 厘米

北京 / 清宫旧藏

此毯为清中期宫廷编织的盘金银线栽绒毯。地毯采用棉经、棉纬，经纬线二股合一股，捻向均为“Z”形。起绒部分以彩色毛纱拴“8”字扣，每 30.5 厘米起六十六道彩纬。

此毯饰一道万字毯边，毯心大地内在白色地上编织蓝色团花纹，团花内仍以八瓣小花与万字纹填充。用色为蓝、白二色，地毯构图简洁，用色清爽。

根据编织特点，当为宫廷内部机构所织。此毯一侧有意留出空缺，是为了铺用时避让室内陈设所为。

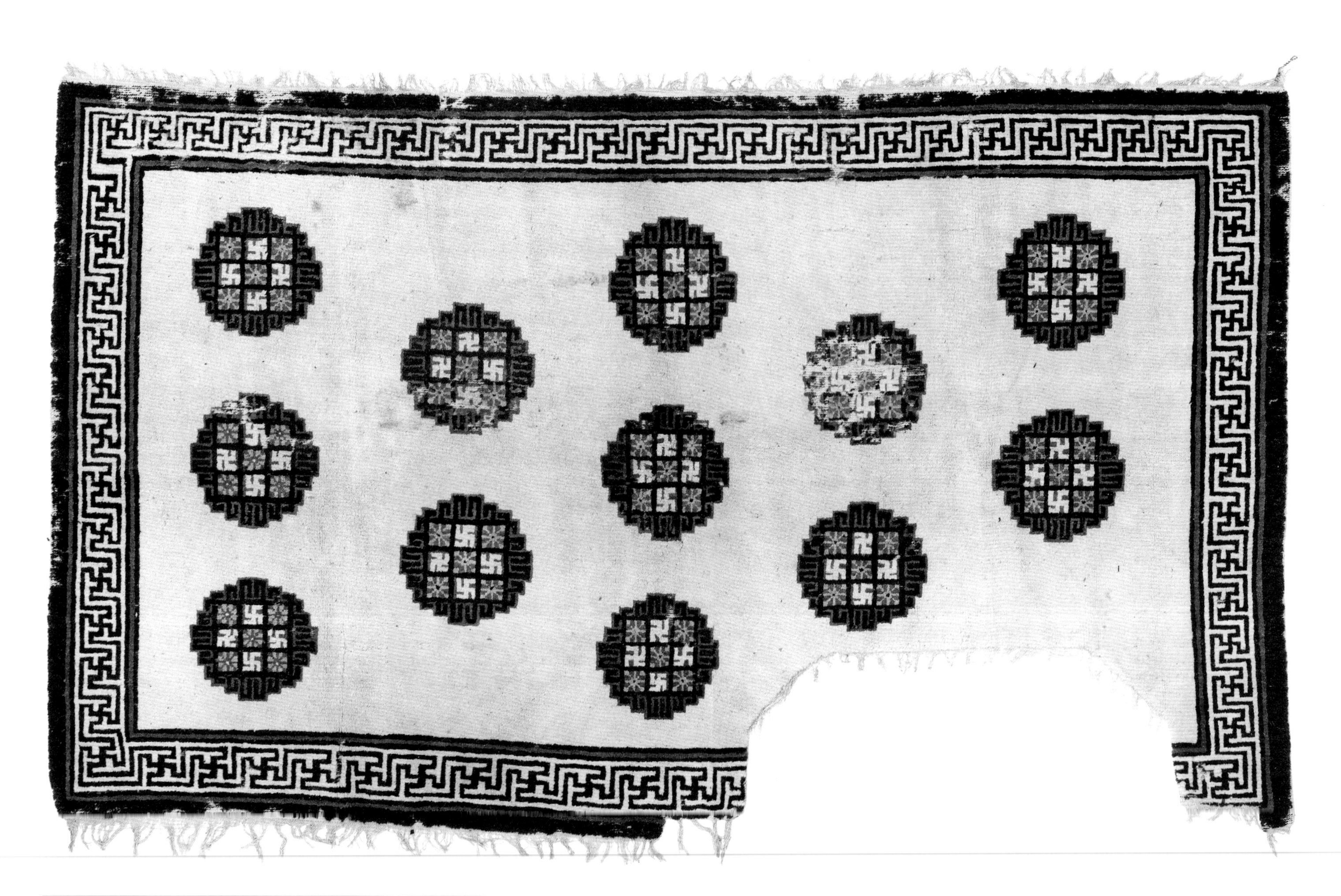

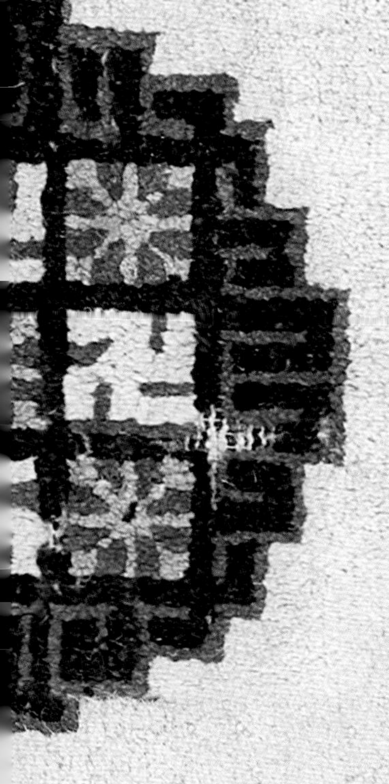
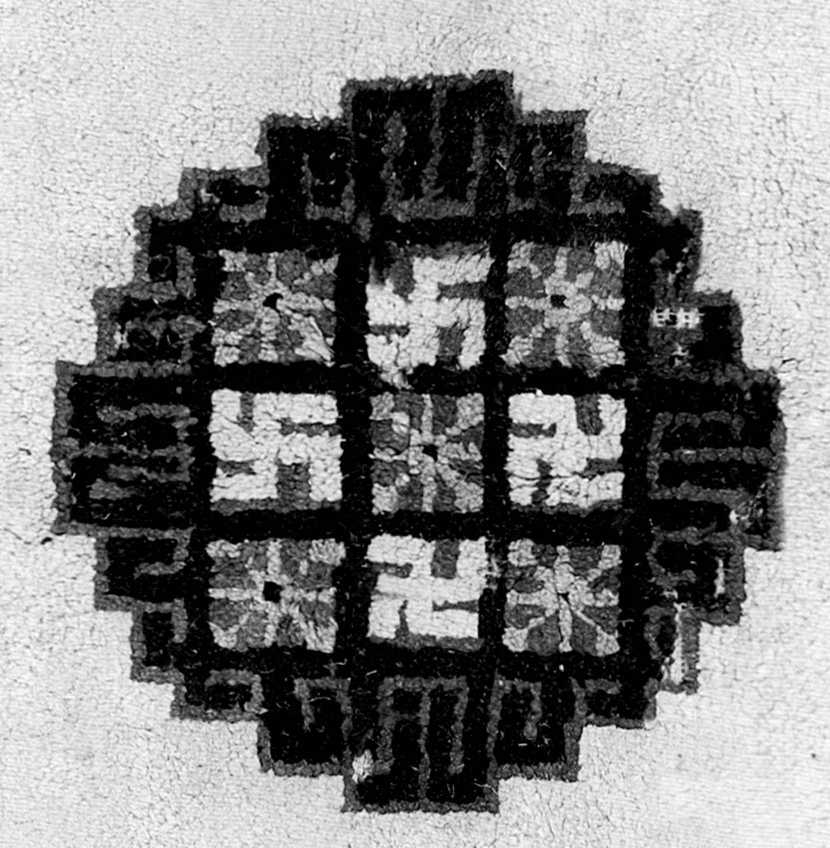

木红地回纹边鸾凤纹栽绒地毯

清中期 / 边长 500 厘米 绒高 0.8 厘米

北京 / 清宫旧藏

此毯为清中期北京官方编织的盘金银线栽绒毯。毯子的地经、地纬均为丝质，挂经织纬，抽绞过纬。起线部分为彩色羊毛纱拴"8"字扣，每过两道丝纬起一道彩纬，30.5 厘米内起彩纬七十道。

此毯为正方形，边框有一道回纹边饰。毯心主题图案为鸾凤戏牡丹，即中心有一朵盛开的牡丹花，两旁有展翅飞翔的鸾与凤。辅助图案饰四合如意云纹，下饰海水江崖，一侧辅以浪花、珊瑚。色彩选用木红、湖蓝、深蓝、浅蓝、月白、白、黑、深绿、草绿、杏黄、黄、浅黄等，配色极有章法，运用了两晕色、三晕色及深色勾边法，增加了花纹的立体感。

此毯选料上乘，编织精细，构图疏朗，色彩华丽，为清代皇后专用之物，常年铺设于交泰殿地平上，为宫廷礼朝殿宇用毯。

明木红地双鸾凤纹栽绒地毯。

紫地蓝边花卉纹栽绒地毯

清中期 / 长 150 厘米 宽 114 厘米

穗长 13 厘米 绒高 0.3 厘米

新疆 / 清宫旧藏

此毯为清中期新疆编织的栽绒毯。地毯经纬线均为棉线，经线五股合一股，纬线为三股合一股，捻向皆为“Z”形。起绒部分为彩色丝线“8”字扣栓头，每隔三道纬线起一道彩纬，30.5 厘米内起彩纬一百道。

毯边三道，最外、最内为两道饰连珠纹窄边，中间宽边内饰当地流行的四瓣花图案。毯心大地内以“十”字形为骨架，将石榴花、百合以及维吾尔族传统的花纹之一的四瓣花等多花卉对称编织，形成新疆地毯特有的满铺锦的装饰效果。用色有宝石蓝、粉、绿、绛红、紫、月白、白、黄等，配色中冷暖色对比强烈。

此毯编织道数细密，图案疏密有致，色彩鲜艳。

黄地五蝠花卉狮子滚绣球栽绒地毯

清晚期 / 长 305 厘米 宽 185 厘米

穗长 4 厘米 绒高 1 厘米

宁夏 / 清宫旧藏

此毯为清晚期宁夏编织的栽绒毯。毯基为棉经、棉纬，经纬线均为“S”捻向，以彩色羊毛拴“8”字扣，每隔两道纬线起彩纬一道，30 .5 厘米内起彩纬七十三道。

此毯有三道边，最外为素边，中间是二方连续的勾莲纹，里面是连珠纹。毯中心是五蝠捧寿图，间饰以各种折枝花纹，四角为狮子滚绣球图案。用深蓝、浅蓝、月白、木红、绯色、白色、烟色、褐色、黄色等颜色。大量采用三晕色，富有立体感。整个地毯编制紧密，构图谐调自然，色彩厚重大气，丰富了纹饰的层次感。

此毯采用了宁夏工艺，但图案设计却是漠南蒙古（今内蒙古）的构图风格。

黄地五枝花栽绒地毯

清晚期 / 长 310 厘米 宽 169 厘米

穗长 4.5 厘米 绒高 0.5 厘米

新疆 / 清宫旧藏

此毯为清晚期新疆编织的栽绒毯。地毯采用棉经丝纬，经线五股合一股，纬线三股合一股，捻向均为"Z"形，起绒部分以彩色丝线拴"8"字扣，每 30.5 厘米起彩纬一百一十七道。

此毯共有大小毯边七道，分别饰连珠纹、花卉纹等。毯心在黄色的地色上编织五枝花。所用颜色有木红、黄、绿、月白、橙黄、白等。

地毯图案为新疆传统的五枝花纹样，地毯毯心在黄色地上，绿色枝条衔着盛开红色的五枝花，使整毯充满勃勃生机。

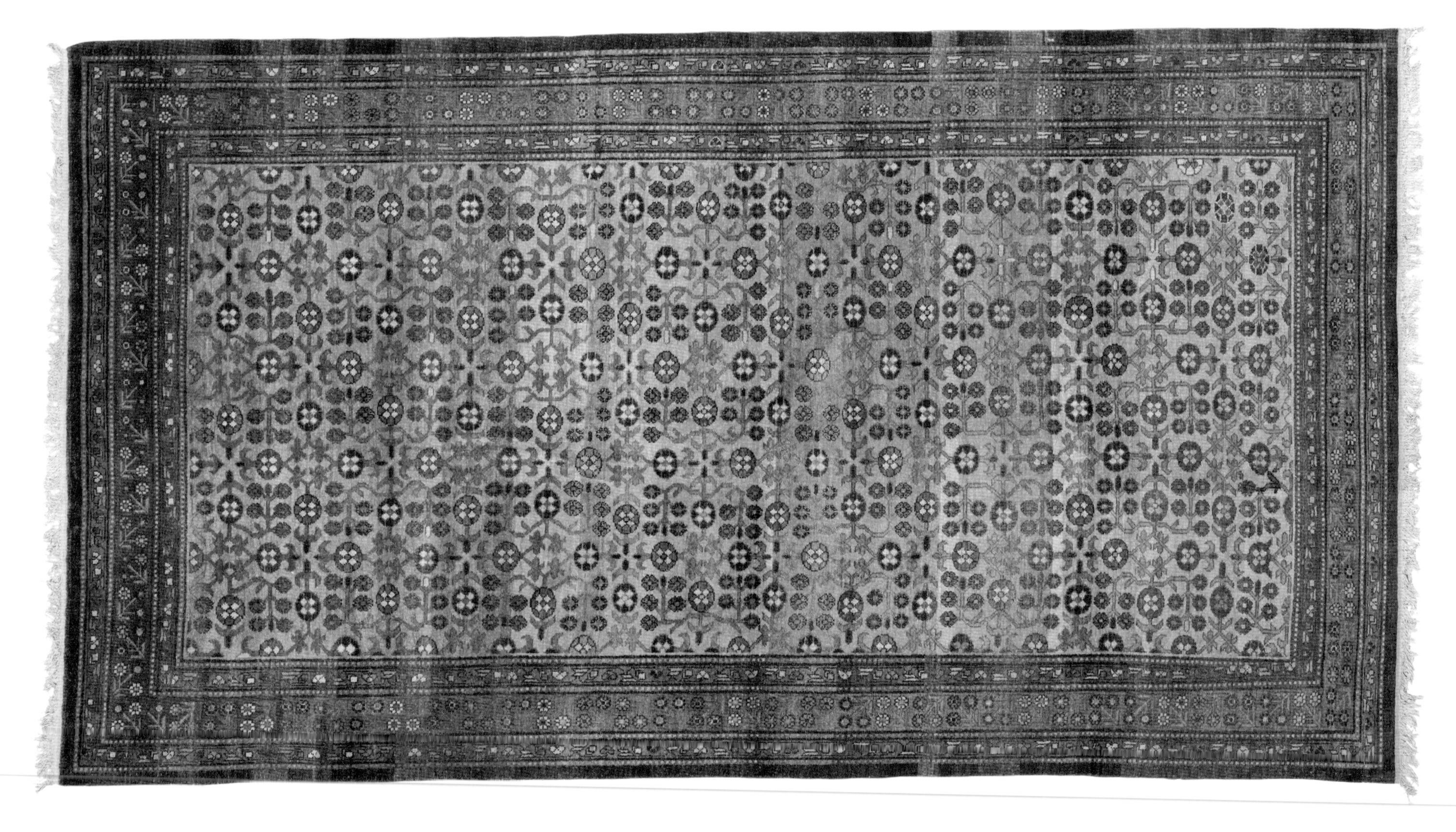

黄地蓝花栽绒地毯

清晚期 / 长 440 厘米 宽 440 厘米

绒高 0.8 厘米 穗长 4 厘米

新疆 / 清宫旧藏

此毯为清晚期新疆编织的栽绒毯。地毯以白色未染棉线做地经、地纬，经纬线均为“Z”捻向。用彩色羊毛线在经线上拴“8”字扣，30.5 厘米内起绒七十六道。

此毯大地内编织四合如意纹，并以石榴、四瓣花、云纹作辅助花纹。用色有杏黄、深蓝、月白、绯、白等，均为植物染色，花纹配色以三晕色为主。

此毯起绒平整，花纹工整，配色稳重，质地厚实。根据地毯边径、过纬线等特点判断，是地处新疆的厄鲁特蒙古的编织物。

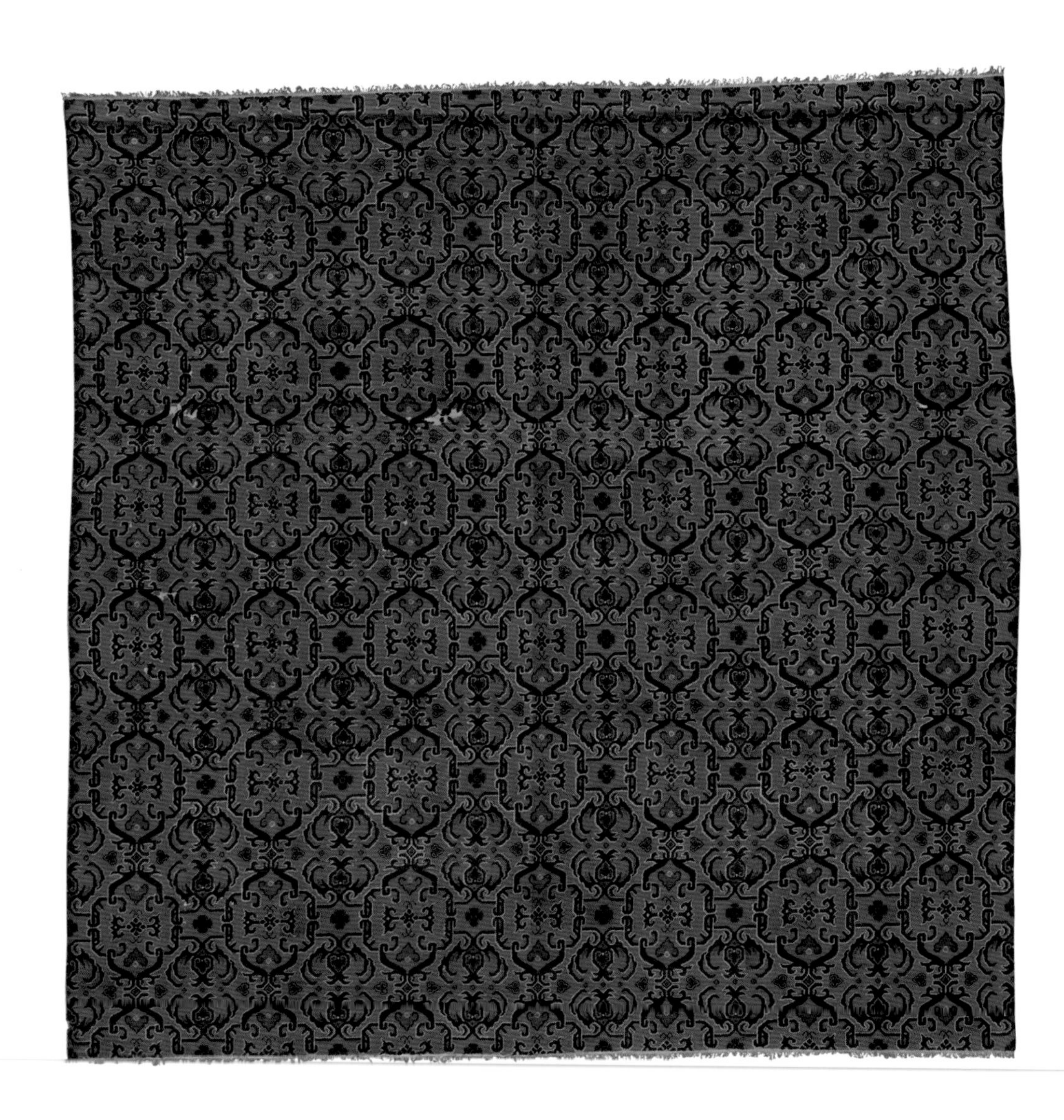

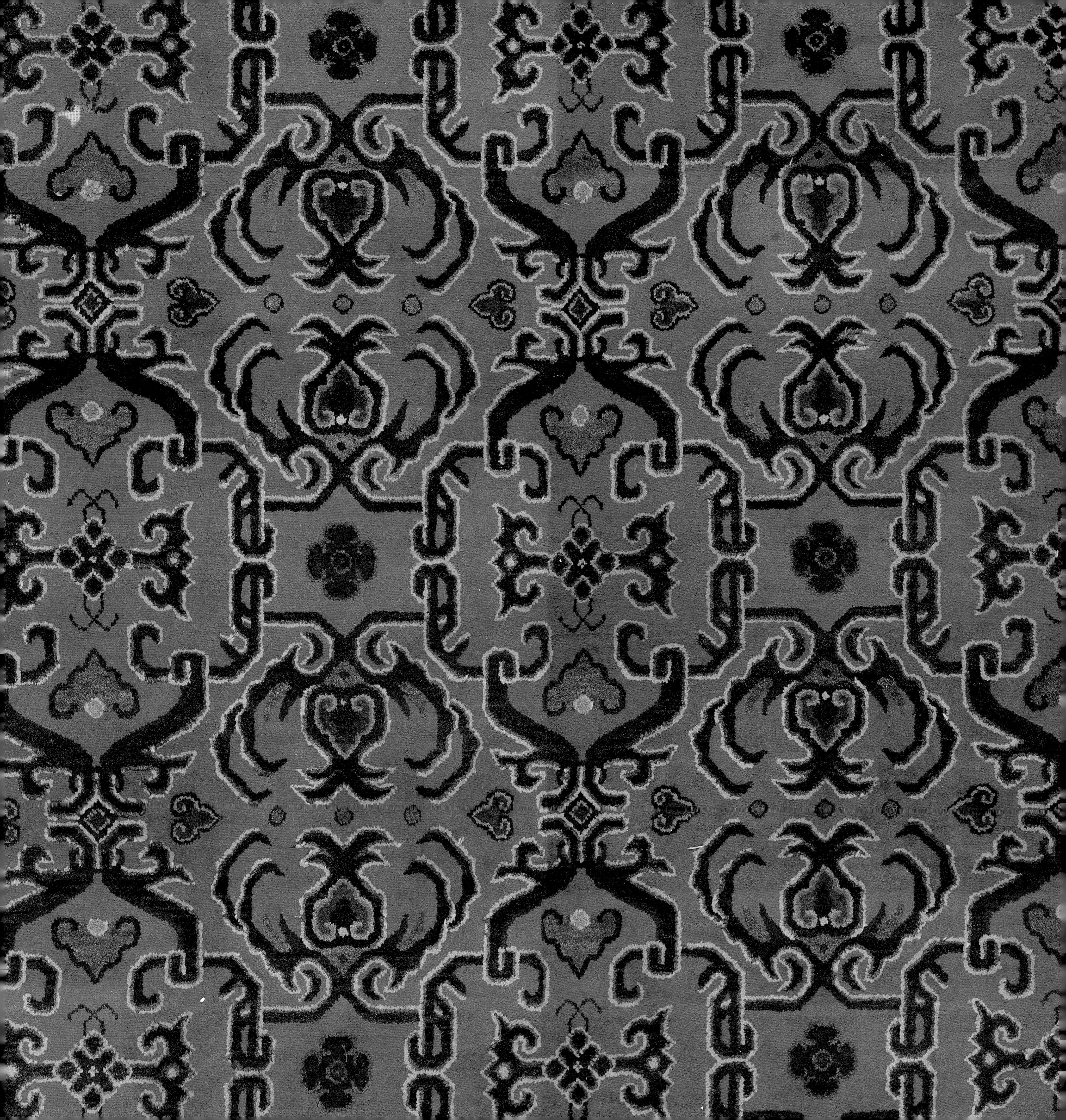

紫地蓝花栽绒地毯

清晚期 / 长 382 厘米 宽 374 厘米

绒高 0.3 厘米 穗长 5 厘米

新疆 / 清宫旧藏

此毯为清晚期厄鲁特蒙古为宫廷编织的栽绒毯。毯基为棉经棉纬，均由毛纱三股合一股。经线捻向为“Z”形，纬线捻向为“S”形，起绒部分以彩色毛线拴“8”扣栓头，每隔两道棉纬起一道彩纬，30.5 厘米内起七十八道彩纬。

不详何故，此毯并无毯边。毯心主花纹为四合如意云，并以石榴纹作辅助花纹，以此构成一个花纹单位，再以四方连续的构图法布满整毯。所用颜色有紫、黄、蓝、白等。

此毯背面的过纬线、边径采用蒙古传统编织技法，但纹饰题材与花卉造型却具有明显的清代新疆地区风格。可以断定此毯是地处新疆的厄鲁特蒙古编织的作品。善于借鉴中原以及其他兄弟民族的优秀纹饰，是厄鲁特蒙古编织毯的一大特点。

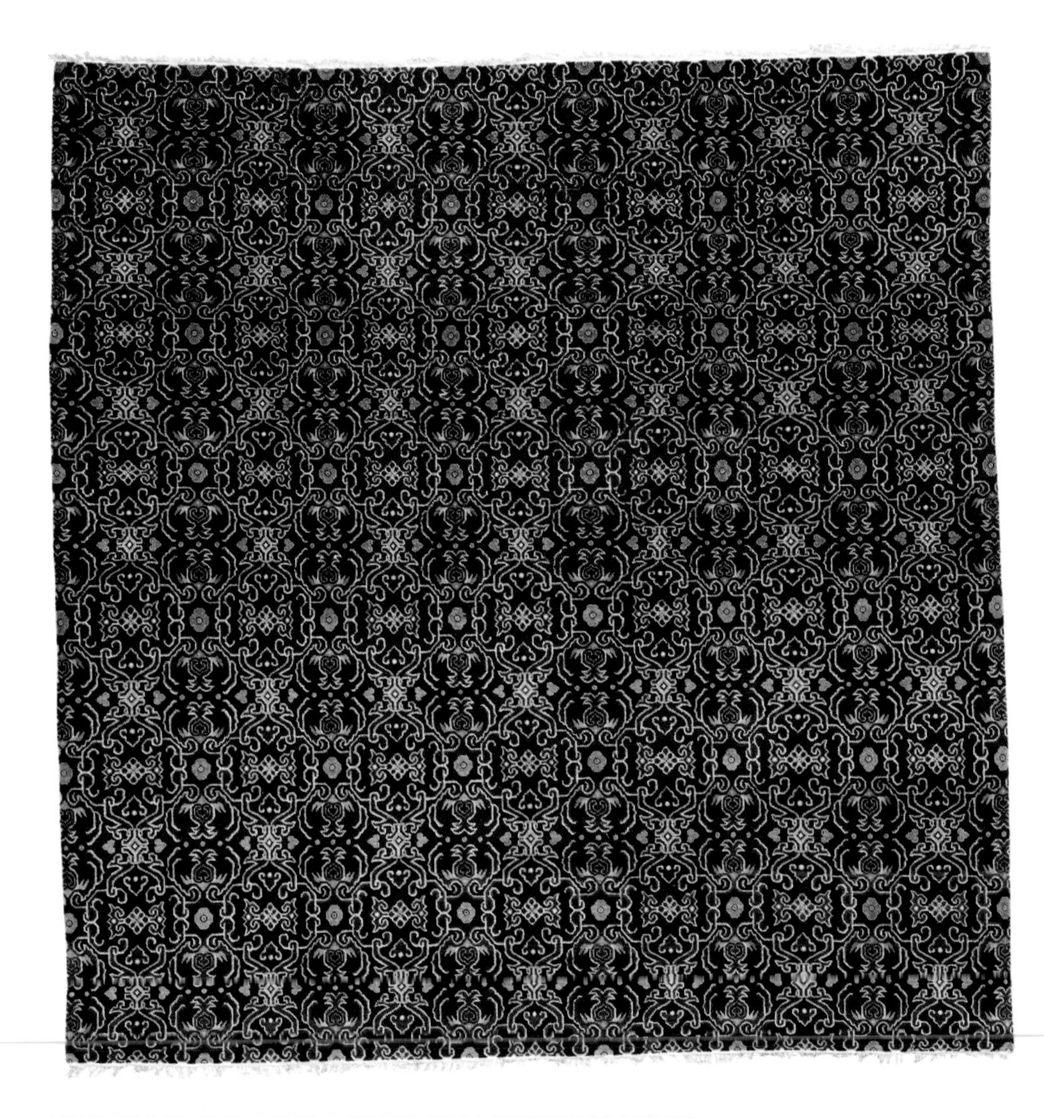

蓝地盘金银线团蝠纹栽绒地毯

清晚期 / 长 400 厘米 宽 230 厘米

绒高 0.8 厘米 穗长 12 厘米

新疆 / 清宫旧藏

此毯为清晚期新疆编织的盘金银线栽绒毯。地毯经纬线为棉线，捻线均为“Z”形。起绒部分以彩色丝线拴“8”字扣，每隔两道纬线起一道彩纬，30.5 厘米内起彩纬一百二十道。起绒用蓝、绛色、蓝绿、鹅黄等色丝线。

花纹采用黑、木红、绯色勾边，突出了花纹的轮廓，增强图案的立体感。此毯盘金银毯是一种把金银箔包在棉线或丝线上圆捻而成的。以分股的金或银线编织成横向人字纹，毯背面用丝绒线也编织成横向人字纹，用以保护毯基。

地毯花边有四道，第一道为二方连续花卉纹，第二道为回纹，第三道为二方连续勾莲纹，第四道为花卉纹。毯心由吉祥花卉组成。主题花纹以团蝠纹为主，设计对称，间饰蝴蝶与牡丹花。图案中所用的蝙蝠、牡丹、蝴蝶纹饰是清代织绣作品中的典型题材，其寓意“富贵万寿”。

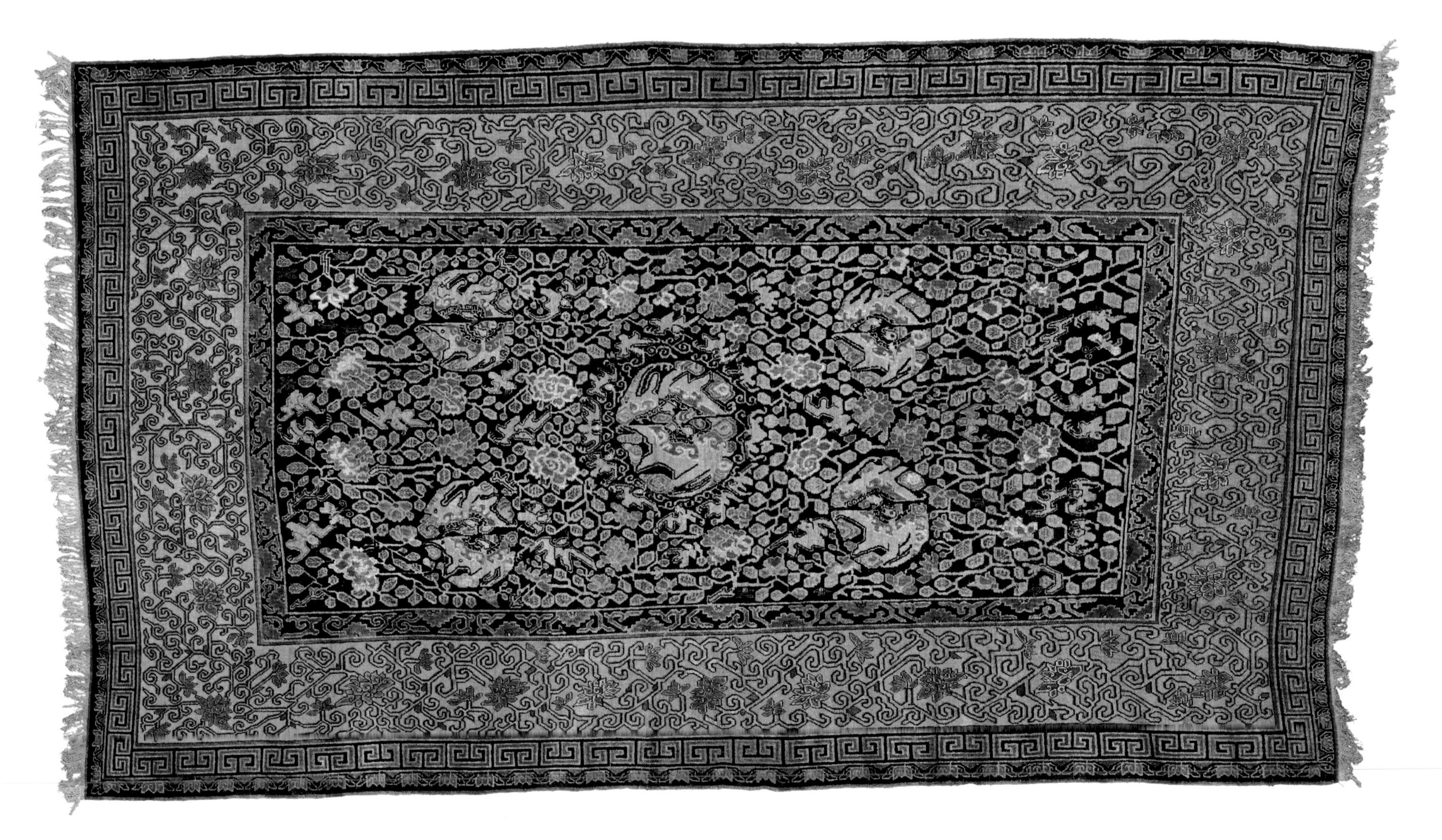

黄地海水莲枝花纹栽绒地毯

清晚期 / 长 340 厘米 宽 175 厘米

绒高 0.4 厘米 穗长 12 厘米

新疆 / 清宫旧藏

此毯为清晚期新疆编织的栽绒毯。地毯采用棉经、丝纬，经纬线皆五股合一股，捻向为“Z”形，起绒部分以彩色丝线拴“8”字扣栓头，30.5 厘米起八十八道彩纬。

此毯有两道边，外边为海水云纹，内边为回纹边。毯心以朵莲为中心，两侧以“十”字为骨架，编织莲花，以小团花、花蔓、花叶作间饰，以这样花纹为一个单位，采用二方连续构图于毯中。所用颜色有蓝、月白、浅蓝、黄、铁锈红、灰等，配色采用冷暖对比，增加了花纹的清晰度。

地毯毯边皆为中原地区流行的纹饰，替代了新疆地区盛行的花卉纹，是清晚期回疆编织栽绒毯构图的一大变化及特点。

黄地花卉纹栽绒地毯

清晚期 / 长 321 厘米 宽 151 厘米

绒高 0.5 厘米 穗长 2 厘米

新疆 / 清宫旧藏

此毯为清晚期新疆编织的栽绒毯。地毯经纬线为棉质，均为“Z”捻向，二小股捻为一股，起绒部分用彩色羊毛线拴“8”字扣，每隔两道棉纬起一道彩纬，30.5 厘米起彩纬八十四道。

此毯边由四道花边组成，从外向内，第一道为紫色素边，第二道为二方连续如意云纹，第三道为小团花纹，第四道为石榴纹。毯心为典型的新疆风格纹样，由三个圆形的图案组成中心主体纹样，维吾尔族称为阿依古丽，即月亮花。四周以散点形式满填花卉纹饰，与主体图案形成一个整体。配色以蓝色作地，花纹以紫、绿、棕、黄、白、橘黄、蓝、深蓝等颜色组织花卉图案。

此毯编织细致，颜色丰富，富有地方特色。

红地蓝云头边瓶插花栽绒地毯

清晚期 / 长 300 厘米 宽 174 厘米

绒高 0.2 厘米 穗长 6 厘米

新疆 / 清宫旧藏

此毯为清晚期新疆编织的栽绒毯。地毯毯基为棉经、棉纬，经线二股合一股，纬线三股合一股。经线捻向为“Z”形，纬线捻向为“S”形。毛纱起绒部分以彩色毛纱拴“8”字扣，每隔两道纬线一道彩纬，每 30.5 厘米起纬线一百零六道。

此毯有五道花边，主花纹有云纹、回纹、朵花等。毯心内采用“四菜一汤”的构图法，四角为回纹，中心为团花。并在空部位编织瓶插石榴花、彩蝶。用色有红、黑、蓝、粉、黄等。

毯中瓶插石榴花纹饰有很强的艺术生命力，广泛应用于绘画、织物中。晚清时期的新疆毯中常见这种图案。

黄地回纹云头边花蝶纹栽绒地毯

清晚期 / 长 400 厘米 宽 400 厘米

绒高 0.3 厘米 穗长 3 厘米

新疆 / 清宫旧藏

此毯为清晚期新疆编织的栽绒毯。毯基以丝经、棉纬编织，经纬线捻向为“Z”形，“8”字扣栓头，每过两道纬线起彩纬一道，30.5 厘米内起彩纬一百一十三道。经纬线均为丝线，“Z”向捻，每两股线捻成一股。

此毯共有大小七道边，纹饰有回纹、如意云纹、几何纹和二方连续花卉纹等。主体为新疆传统的卡其曼图案，对称中心为月亮花，周围对称图案有石榴花、瓶插石榴花、串花、团花、蝴蝶等，四角为几何形的角隅。运用了紫、黄、绿、杏黄、深蓝、浅蓝、白、红等颜色。

整个地毯编织细密，色彩亮丽，图案对称均衡，纹样清晰，并以深色勾边的对比突出纹样，具有浓郁的地方特色。

蓝地云蝠纹栽绒地毯

清晚期 / 长 241 厘米 宽 155 厘米

绒高 1.8 厘米 穗长 7 厘米

北京 / 清宫旧藏

此毯为清晚期北京民间编织的栽绒毯。地毯采用棉经、棉纬，经线五股合一股，纬线二股合一股，起绒部分以彩色毛纱拴“8”字扣，30.5 厘米起一百一十八道彩纬。

此毯有五道花边，最外为素边，次外为彩条边，中间为主花边，上饰云纹，内边饰连珠纹，最内也为彩条边。毯心采用“四菜一汤”的构图法，中心饰团形的云蝠纹，四角隅饰云蝠纹。其余部位以散点的形式编织云蝠纹。用色有香色、白、月白、蓝、浅蓝、深蓝、土黄、浅黄、黄、绿、红、绯等色。配色分别为二晕色，如蝙蝠中红配绯；三晕色，如云纹中浅蓝、月白、配白。

此毯有三方面特点：其一，棉经纬线与彩色毛纱，均为机纺，标志着清代地毯业中棉毛纺线最新技术的实施；其二地毯施用的香色，曾有“盖次明黄一等”之说，清初“例禁庶人服用”，嘉庆年间解禁，方在民间流行；其三，北京民间地毯织作出现在清晚期，这件地毯年代为清晚期北京民间的编织物。

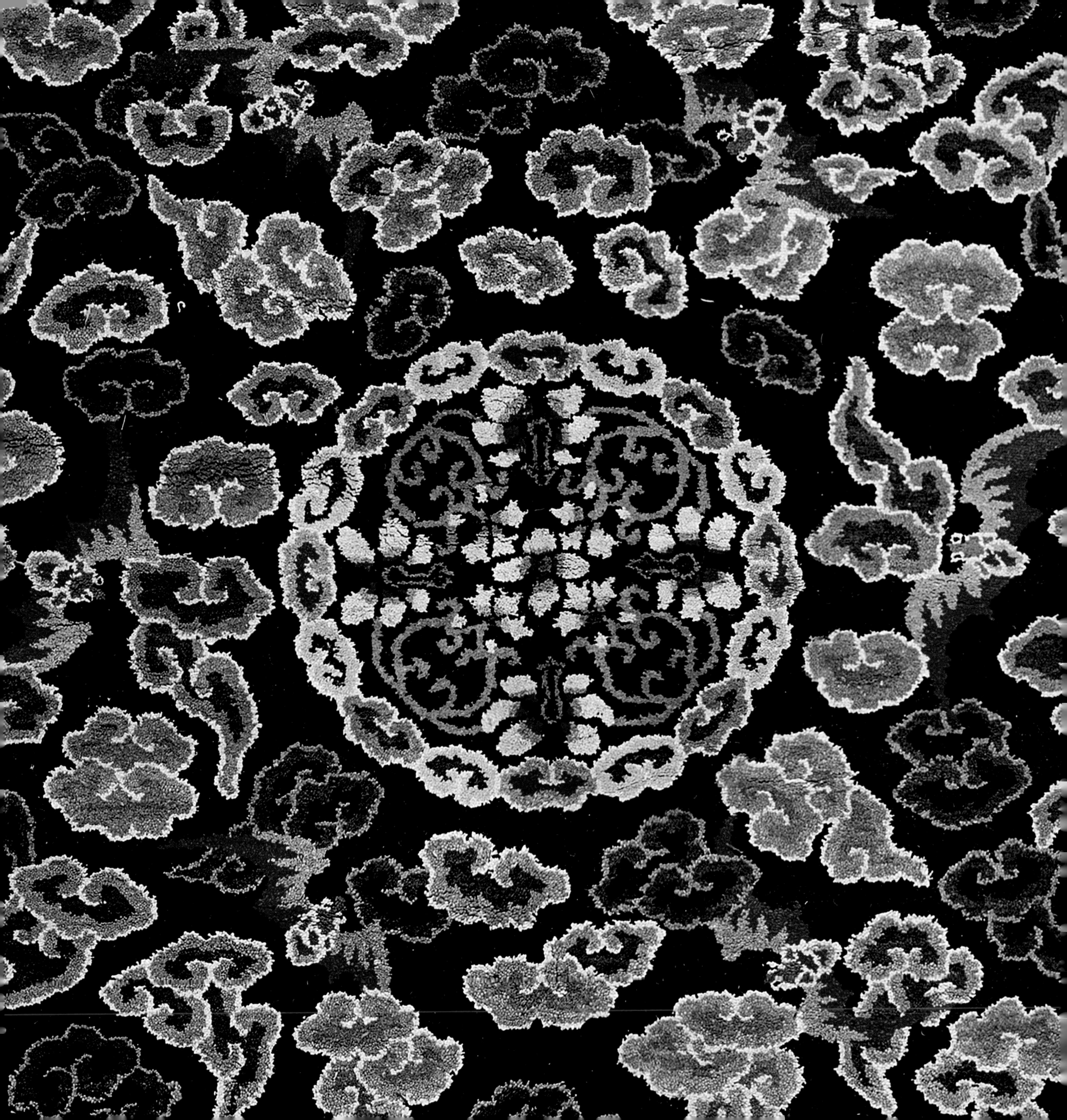

灰色地蓝花鸟边团花纹栽绒地毯

清晚期 / 长 160 厘米 宽 96 厘米

绒高 1 厘米 穗长 4.5 厘米

北京 / 清宫旧藏

此毯为清末北京民间编织的栽绒毯。这件栽绒花鸟边灰色地团花毯，棉经、棉纬，毛纱、棉线为机纺。经线三股合一股，纬线四股合一股。起绒部分以彩色毛纱拴“8”字扣栓头，每 30.5 厘米起九十七道彩纬。

此毯有花边一道。毯心采用“四菜一汤”构图法。用色有深藕荷、藕荷、蓝、月白、赭石、粉、白、灰等。图案以自然界为题材，分别在毯边、毯心编织喜鹊、小鸟、飞燕、梅花、柳树、山石、庭院等，通过巧妙的组合，呈现出鸟语花香、春意盎然的景象。

绿地莲枝花纹机织栽绒地毯

18 ～ 19 世纪 / 长 306 厘米 宽 130 厘米

欧洲 / 清宫旧藏

此毯为欧洲机织的地毯。毯多幅拼接。毯心图案呈纵向排列，由西洋花卉组成二方连续纹样。花纹舒展大方，枝蔓旋转自然。

此毯毯心由 50 厘米宽的长条毯拼接，而毯边则是特别设计、单独织造的，并根据需要与毯心缝合。

整毯色彩柔和谐调，质地坚实，耐磨力强，为清宫廷用西洋地毯之一。

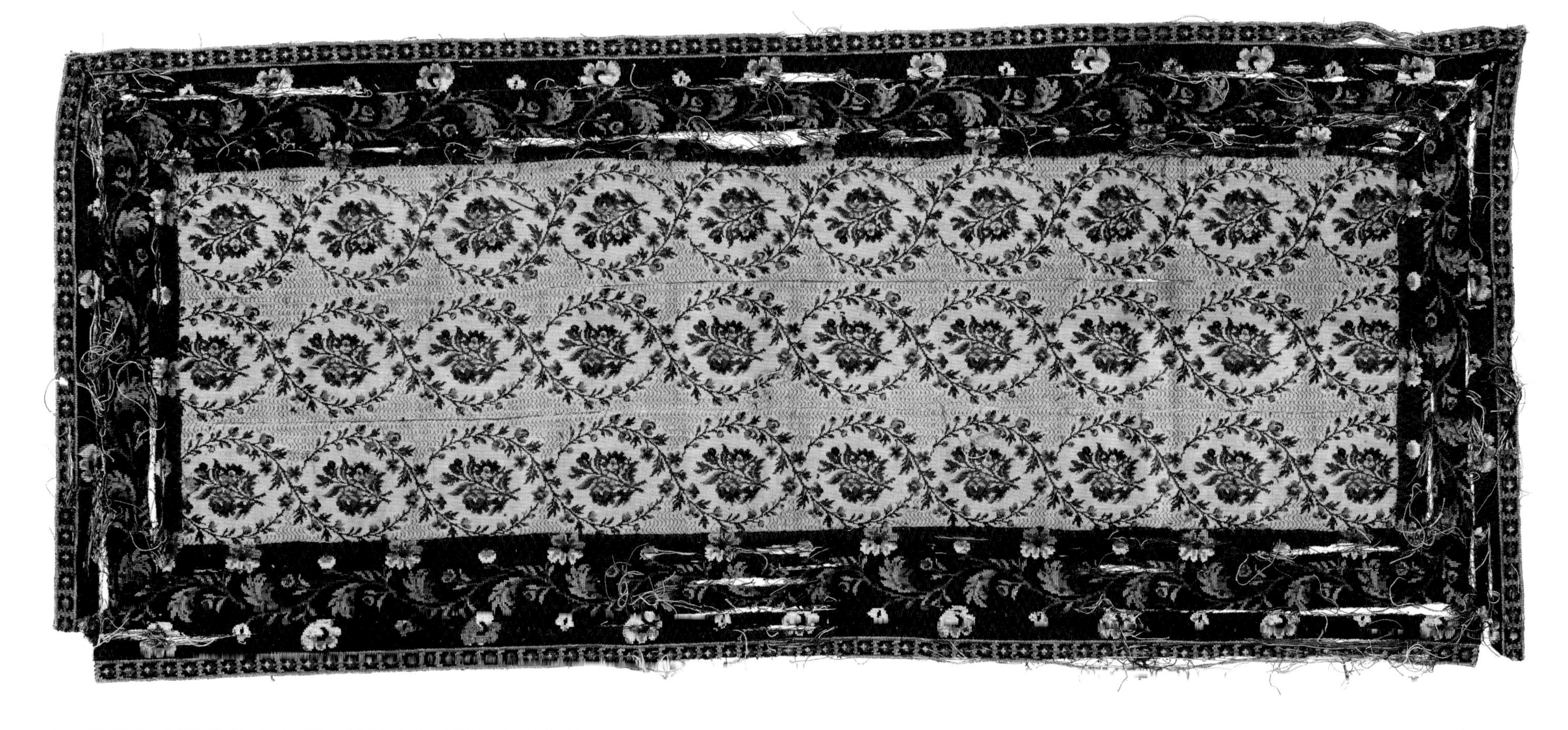

米黄地水纹机织栽绒地毯

19 世纪 / 长 520 厘米 宽 640 厘米

欧洲 / 清宫旧藏

此毯为欧洲机织的地毯。毯基经线、纬线均为麻质，毯心图案以波动的水纹组成纹样。图案表现的水纹自然流畅，起伏的曲线使毯面生意盎然。毯边是单独制作，与毯心缝合而成。毯边的贝壳纹，体现了十八世纪西方风靡一时的洛可可艺术风格。不同的是，图案以写实的手法表现。此毯配色简洁、淡雅，运用棕色、米色等颜色构成了比较单纯、但又谐调的色彩图案。

此毯为清宫订织，其尺寸完全按照铺设的位置而定，为躲避宫内陈设而做了特别的处理，多为西六宫铺设的地毯。由于机织的地毯严格尺寸，精于制作，所以凸凹的毯边表现出严丝合缝，比例均衡之美。与手工地毯中为留避让物而形成的凸凹毯边，可谓略胜一筹。

西六宫之储秀宫外景。

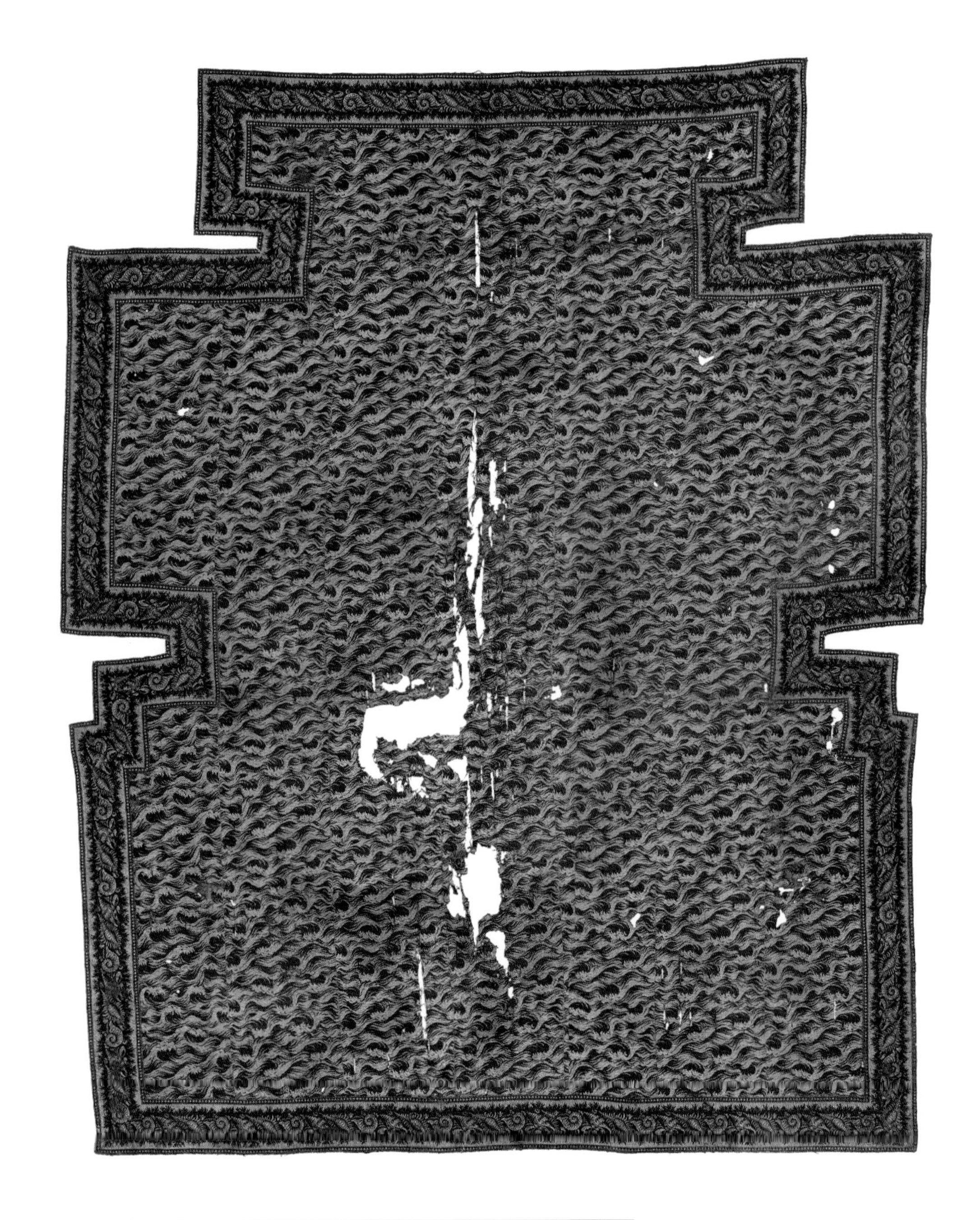

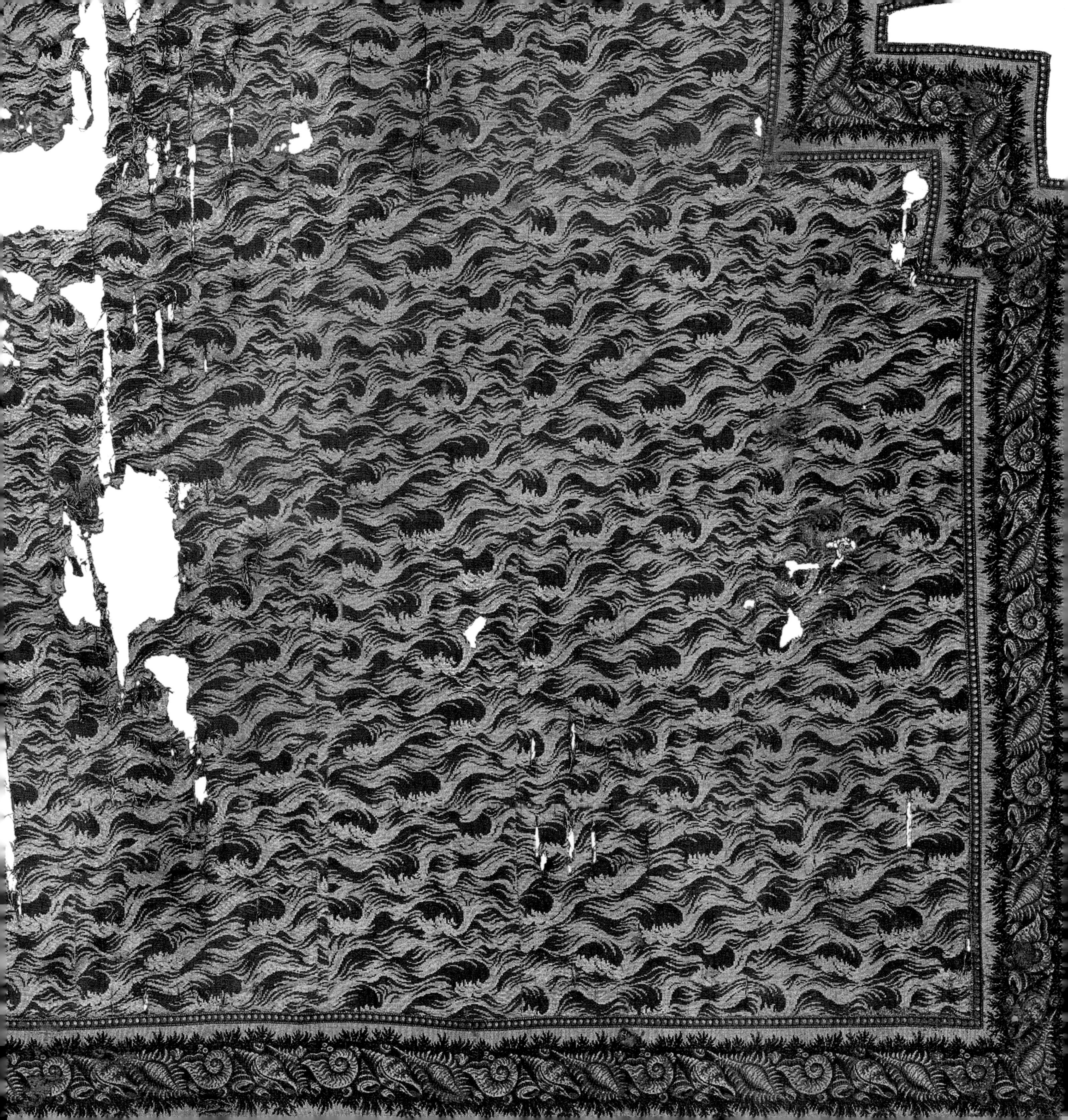

素地五彩花环纹机织栽绒地毯

19 世纪末 / 长 766 厘米 宽 360 厘米

法国 / 清宫旧藏

此毯为法国机织的地毯。地毯有三道花边，分别饰回纹、花卉纹。毯心大地的主花纹是在方格内装饰的花环纹，以小长方格内装饰的花卉纹以及填充的小碎花为辅助花纹。用色有白、黄、绿、蓝等。整毯用色典雅，图案造型刚柔适度，令人悦目。

花环纹为法国流行一时的古典式样。由于拿破仑执政时期（1799 ～ 1814 年），要求法国人以古典主义作为美的规范，所以装饰图案中大量运用希腊、罗马艺术中象征胜利、成就、荣誉的形象，诸如月桂、橄榄枝、花环等，再以古典风格的直线几何形将它们组合起来。这一装饰艺术与西方的巴洛克、洛可可时代的花纹已大不相同。

黄地方格花卉纹机织栽绒地毯

19 ~ 20 世纪 / 长 165 厘米 宽 87 厘米

绒高 0.6 厘米 穗长 4 厘米

西亚 / 清宫旧藏

此毯为西亚机织的栽绒毯。毯基以棉经、棉纬编织，经纬线均为“Z”捻向，用彩色羊毛纱在经线上拴“8”字扣，30.5 厘米内起彩纬六十六道。

毯心为变异的花卉纹，周边以花卉纹饰组成的毯边。地毯选用绛色、黄、白、灰、黑等颜色。毯心内编织长方形与四方委角形图案，内填充花卉纹。图案规整，简洁，配色中通过白、绛、黄为主色调，渲染出简单的花纹富于变化的艺术效果。

整毯花纹、用色，表现出异国的风情。

紫地斜格边十字纹机织栽绒地毯

19 ~ 20 世纪 / 长 176 厘米 宽 96 厘米

绒高 0.6 厘米

南亚 / 清宫旧藏

此毯为南亚机织的地毯。毯基以棉经、棉纬编织，经纬线均为“Z”捻向，30.5 厘米内起彩纬六十六道。

此毯共有五道毯边，主毯边为菱形图案。毯心在紫色地上编织菱形花叶纹，四角隅为方形，内填充菱形格。毯中心编织大“十”字纹,内填充方形格。地毯选用棕、白、黄、灰、绿、紫、紫红等，色彩运用以间色为主。

地毯构图规整，毯中的“十”字图案具有明显的象征意义，即代表着基督教物质与精神的结合。

红地西洋花卉纹机织栽绒地毯

19 世纪 / 长 465 厘米 宽 280 厘米

欧洲 / 清宫旧藏

此毯为欧洲的机织地毯。地毯四周包蓝布边，两侧中心有开缝与曲尺门，是根据宫殿内所铺用样式、尺寸特意设计的。毯心图案由花卉组成四方连续纹样，其间填以花卉纹，并以深色将每个纹样勾边，花朵清晰突出。

此毯织工精致，纹样古朴典雅，错落有致，色彩浓重，是清宫喜用的西方地毯。

坤宁宫洞房内铺设的有曲尺门的地毯。

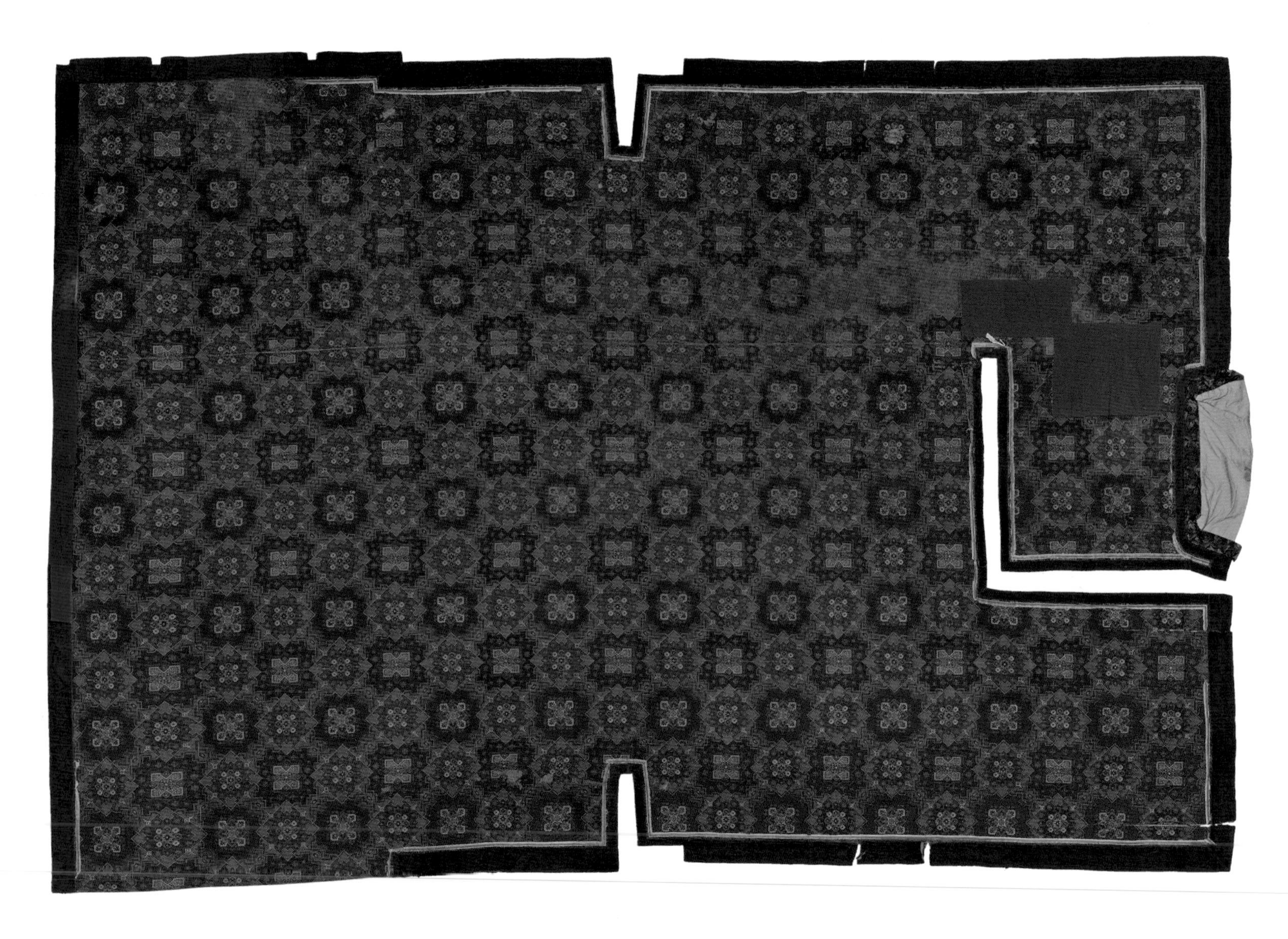

紫红地花蝶纹机织栽绒地毯

20 世纪 / 长 398 厘米 宽 303 厘米

绒高 0.35 厘米

欧洲 / 清宫旧藏

此毯欧洲的机织地毯。毯有二道二方连续的花边。毯心大地的中心，在近似菱形的花瓣内填充对称的石榴花等。辅助图案是以主花纹为骨架，延伸曲线，并在其上编织小石榴花叶。又在紧邻毯边处饰花边形图案，四角隅分别饰变形蝴蝶。整毯用色有红、黑、蓝、绿、灰色。花纹主次分明、具有色彩浓艳的特点。

清晚期宫廷戏班在长春宫院内演戏时，戏台上铺设的就是机织地毯。

米色地西洋花纹机织栽绒地毯

20 世纪 / 长 475 厘米 宽 318 厘米

绒高 0.3 厘米

欧洲 / 清宫旧藏

此毯为英国机织地毯。毯子属楼梯毯类，特点是宽度为 50 至 60 厘米，成批生产后，根据实际需要，可进行拼接。花边为单独机制，花纹完全按照主花纹的要求而设计，所以使用时根据需要与毯心拼接后，宛如一个整体。

此毯有一道花毯边，毯心主图案为一束玫瑰花，并以花带式纹样作辅助图案。地毯用色有红、绿、蓝、黄、棕、白等。地毯花纹写实，俏美，色彩艳丽，极富装饰效果。

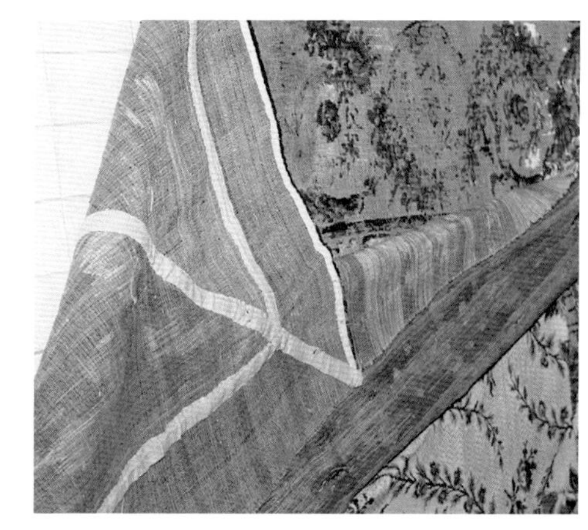

清米色地西洋花纹机织地毯毯边、毯心拼接的情况。

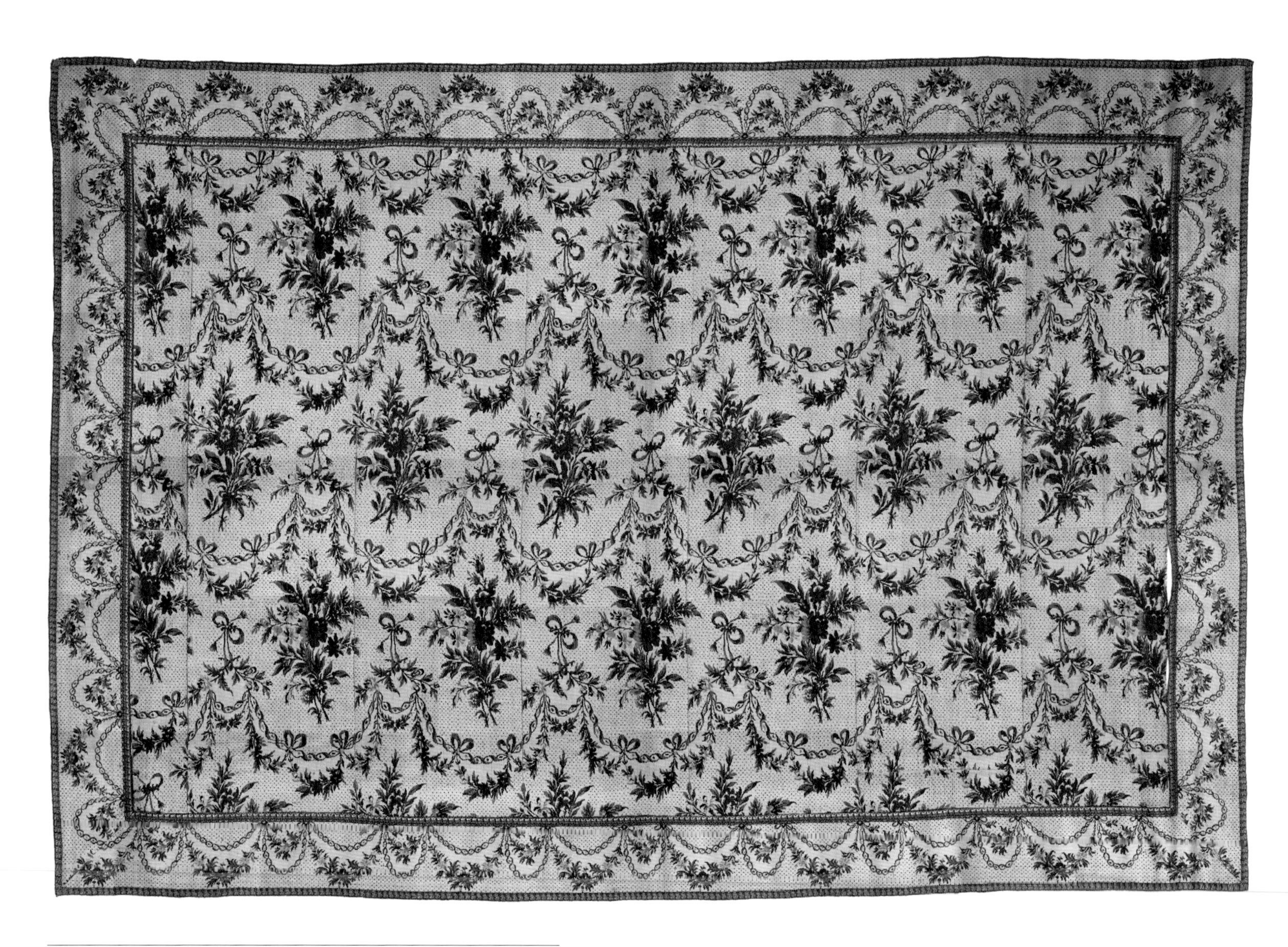

紫地牡丹纹机织栽绒地毯

20 世纪 / 长 502 厘米 宽 375 厘米

欧洲 / 清宫旧藏

此毯为欧洲机织的地毯。这块残缺的栽绒紫地牡丹花地毯，是典型的西方“李克明式”机织地毯。

毯面为满铺的牡丹花卉组成，团形与棱形的框架将花卉分开，使毯面具有强烈的立体视觉效果，此毯为 20 世纪初进入清宫廷。

清慈禧太后像。图中铺设的为缠枝花纹机织栽绒地毯。

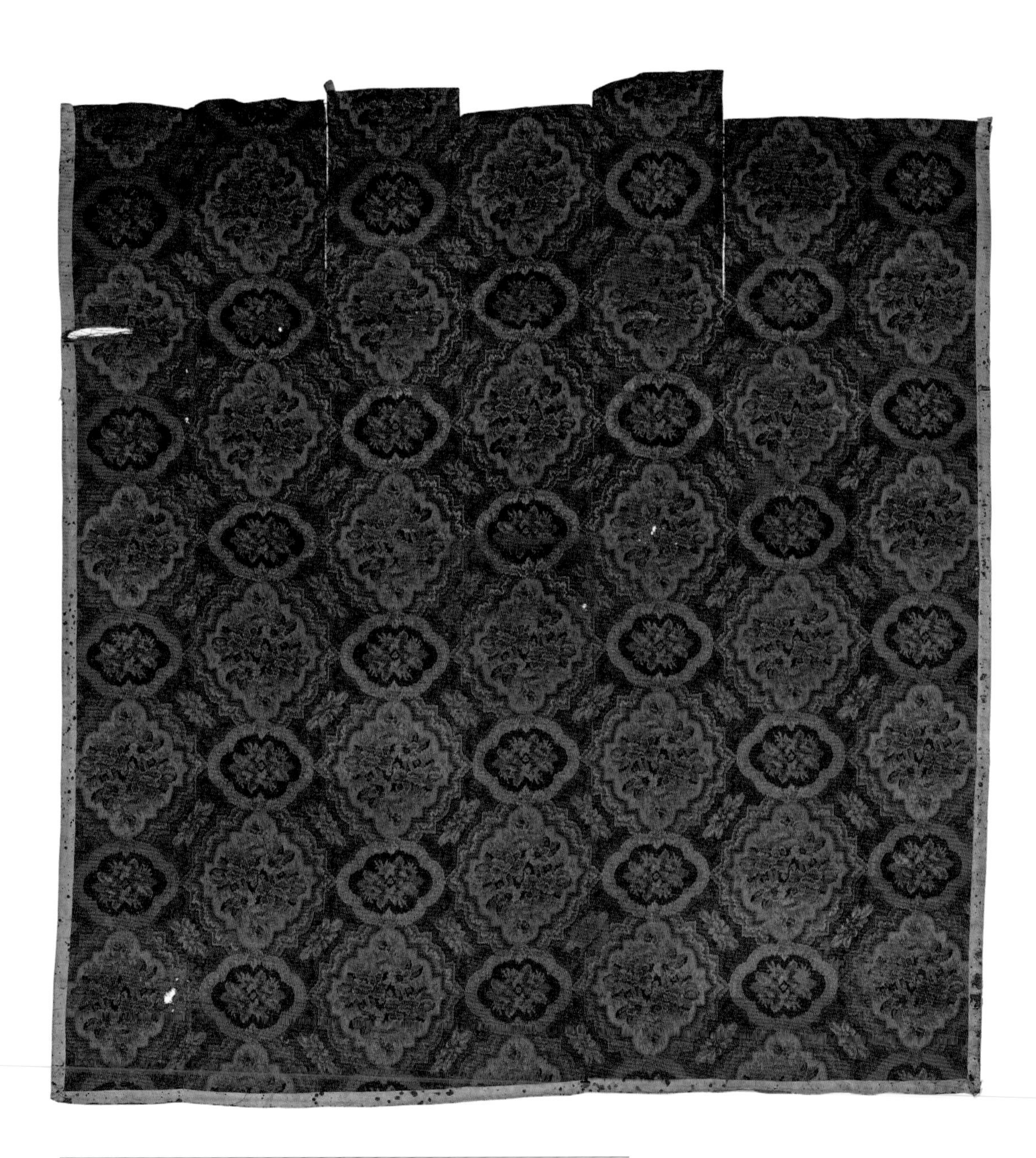

紫地花卉纹机织栽绒地毯

20世纪 / 长700厘米 宽290厘米

绒高0.3厘米 穗长7厘米

西亚 / 清宫旧藏

此毯为二十世纪西亚织作的机织毯。毯经线为白色棉线，纬线为彩色棉线。有大小毯边三道，主花边编织棕榈叶。毯心图案由花草、树叶和缠绕的藤蔓组成纹样。地毯配色有紫、白、深蓝、浅蓝、绿、黄、棕、杏黄等颜色。

图案设计独特，以自然界的花草为题材，花纹灵活、满密，反复重叠，色泽厚重，是典型的波斯地毯。

《清玄烨像》中的锦纹栽绒地毯。

明仇英画《女乐图》中的黄地单边花卉纹栽绒地毯（右图）。

炕毯类

刘宝建

毯的织造与使用历史悠久，远古之时即有“尧作毯”的传说。古代人们“席地而坐”，毯就成为生活必需品，白天披在身上御寒，晚上则铺于地面保暖，所以《释名》中“施之大床”，古乐府《陇西行》中“请客北堂上，坐客毡氍毹”的记载，真实反映了时人将毛毯铺在炕、床上的情景。唐代以后，随着床榻等家具的普遍使用，被称为氍毹的毯逐渐趋于单一性的铺陈，也就是名副其实的炕毯。

一、品类

清宫炕毯来源主要有四：1. 每年通过对外贸易，获得一定数量制作炕毯的成品材料，交由宫内有关机构制作成毯；2. 江南三织造为皇宫定织；3. 地方进贡；4. 外国进献。正是由于来源的多渠道，保证了宫内对于炕毯的需求。

炕毯依其质地、工艺的不同，可以分为哆罗呢、栽绒（又分栽绒丝毯、栽绒毛毯）、漳绒、毛毡等四大类。

1. 哆罗呢炕毯

哆罗呢，又名哆罗绒，是西方的一种宽幅毛呢类织物，织造纹理分平纹与斜纹，为我国早期对外贸易中进口的主要品种。哆罗呢质地柔软、纹理细密、着色鲜艳、保温性强、便于携带，是理想的制毯材料。尤其是轻薄松软的毛料，易于施以印花与手工刺绣等二次加工工序，富于装饰性，成为宫室内充满生活气息的实用物，备受清代帝后的赏识而久用不衰。

宫廷哆罗呢炕毯，极富装饰性，主要有：一类为素色炕毯，诸如明黄、米色、姜色、绿色、猩红色、灰色、蓝色、驼色等。这些炕毯表面不加任何花纹，但因自身染色鲜艳，铺用时仍有一定的装饰作用。另一类是在大小素色哆罗呢毯上刺绣花纹。绣花炕毯云集了清代的苏绣、粤绣、京绣的技巧，其中以京绣数量为多。在针法上根据花纹的不同部位，分别运用了平套针、正戗针、接针、网针、铺绒、钉针、平针、斜缠针、直缠针、打籽针、滚针、松针、刻鳞针、锁绣、辑绣、盘金、盘银等手法。所选用的绣线，主要有未加捻经擘的纯彩色丝绒线，经加捻后并为双股线，“以孔雀毛绩为线缕”的绣线，即以丝为线心，外缠孔雀毛捻成线的特殊绣线，以丝线心，外缠金银的金银线。绣线色彩主要有蓝色系的深蓝、蓝、浅蓝、月白、湖蓝、宝蓝；绿色系的深绿、绿、浅绿、水绿、墨绿、灰绿、果绿；黄色系的金黄、明黄、鹅黄、浅黄、姜黄、香、秋香；红色系的大红、红、桃红、粉红、绯色、浅粉、浅绛、酱；灰色系的深灰、葡灰、浅灰；黑、白、棕、烟、浅藕荷、紫色、金、银等。清宫绣花炕毯就是依托着一流刺绣的针法、质量上乘的绣线、丰富的颜色完成制作的。但不同时期受政治、经济以及帝后审美情趣的影响，反映在炕毯刺绣的水平上则不尽相同。

以清中期为例，绣工精湛、针法复杂、针脚细密、不漏画样或很少露底样，图案工整、饱满、富丽。尤其是乾隆年间，受外来艺术的影响，刺绣中缠枝花瓣、蕊、叶、蔓完全模仿西洋花卉纹，灵活多变，富有动感。彩色绣线在搭配上，多采用三晕色，如三红：桃红、粉配白，红、桃红配粉；三黄：金黄、明黄配鹅黄；三绿：深绿、灰绿配浅绿；三蓝：深蓝、蓝配浅蓝，蓝、月白配湖蓝。图案在三晕色中，呈现的花纹柔和俏美。至清晚期，炕毯的绣工针法趋于简单、针脚稀松。纹样缺乏创新，在配色中尽管施平金点缀，但在晕色的技巧上却大为逊色，使之花纹缺乏生气。

哆罗呢炕毯中，也有采用印花技术制作的，以外来制品居多。印花主要有木板、滚筒印花为主。早期染色由于受技术工艺的限制，只有双色，如红地黑花、黄地红花等；十九世纪，进入滚筒印花工艺艺后，则出现了多色彩的花纹，诸如黄呢地上印出褐、红、黑等三种颜色。装饰上多为西方时尚的花纹。诸如西方制“黄哆罗呢黄地印花炕毯”，为西方流行一时的印花类呢花毛毯。

2. 毛毡炕毯

毛毡是指无经纬向、无织造结构、完全靠毛纤维相互紧压、缩缠而成的毛制品。清初，宫廷造办处的工匠们就已熟于此项技术，所以宫内所铺毛毡类炕毯多出自宫内自制。此外，也有来自漠南蒙古的察哈尔、甘肃的武威、凉州等地擀制的毡毯。各产地传统的制作法，采取压、擀并用的加工方法。制作中先把羊毛摊在芨芨草或苇子席上，用木条类用具将羊毛按其预定的尺寸拍打均匀，浇适量的开水使其粘黏，再将成形的羊毛连同席子卷成卷，用马或驴拖着石磙子反复压碾，以此定型。这只完成了压的步骤，成型的毡子还需人工用粗擀杖由一端起边浇开水边卷卷用力擀毡，如此动作重复多遍，以求石滚后的毛毡质地更加均匀、细密。正如《实业志》中所描绘的“以芨芨草为帘敷于地，洗净羊毛摊帘上，以柳条拍之使均，漉以沸汤，卷之使紧。或用驴、马旋转之，如碌碡 然，即结成毡片”。[1]

清宫用毛毡炕毯，有薄厚之分。装饰上通常在素色地施彩绘画图案。故宫博物院现存雍正时期宫内织造的毛毡，是在绿色地上彩绘云蝠纹，纹样细腻，并根据图案需要，着色浓淡适宜，非常精美，从中可以窥见宫内清代毛毡类炕毯制作技术之一斑。

3. 栽绒炕毯

栽绒炕毯可分栽绒毛炕毯与栽绒丝炕毯，其编制法与栽绒地毯相同。栽绒毛炕毯具有良好的保暖性，最适于天寒时节铺用。而栽绒丝炕毯用料中的天然蚕丝，经现代科学测试结果表明，属于一种天然蛋白质纤维，其化学结构和人体皮肤的化学成份极为相似，对人体皮肤没有刺激

黄地印花哆罗呢炕毯（局部）。清宫廷铺设的西方制哆罗呢炕毯中，受印染技术的制约，单色印花为十八世纪中叶以前的产品。

性。蚕丝中大分子链上存在着大量的亲水性的氨基、羟基等活性基团，有良好的吸水性，可以将人体汗液吸收后，经过柔软疏松的纤维孔道传送到织物表面，最后散发到空气中。蚕丝正是以其特有的品质，编制的栽绒毯毯面手感光滑、柔软，不仅可以保暖，还可纳凉，这种冬暖夏凉的优良品质，受到帝后的喜爱。但栽绒类毯过于厚重，不便携带，限制了其在宫廷更多场合的铺用，这也是栽绒炕毯数量有限的主要原因。栽绒炕毯在装饰上，受工艺与尺寸的制约，以几何纹、团花见长，很难出现华丽的作品。

4. 漳绒炕毯

漳绒是以绒经在织物表面构成绒圈或绒毛的起绒织物。我国漳绒织物的生产，在明清时期其技术趋于成熟。明代生产地有漳州、泉州、甘肃、陕西和广东；至清代，南京、苏杭一带也有生产。因福建漳州生产的最为著名，故名漳绒。根据工艺不同，产品又分为漳绒、漳缎。漳缎是以绒花缎地为特征的；漳绒又有素漳绒、花漳绒以及金彩绒等。但因工艺复杂、用料昂贵，所以成品有限，大多数直接进入宫廷。

《清旻宁读书像》中的蓝地锦纹栽绒炕毯。皇帝铺设炕毯时，往往在栽绒炕毯上再铺上棉座垫，以求得最佳舒适的坐姿。

当年清宫使用的漳绒炕毯中，品种主要有金彩绒、彩绒、彩色漳缎。漳绒炕毯就装饰上虽不及哆罗呢纹饰丰富，但黄地、白地夔龙纹缠枝莲边毛毯、万字百蝠漳缎毯、缠枝莲妆花绒缎毯、彩色花蝶漳缎炕毯等，质地柔软、面料华贵、图案庄重、色彩明快、用料上乘、织造精细，都是难得的精品。

二、纹饰

炕毯中纹饰旨在体现其艺术特色，对此清宫极为重视。清宫炕毯图案取材广泛，主要有：

花卉类纹：牡丹、缠枝莲、勾莲、宝相花、菊花、月季、海棠、梅花、玉兰、郁金香、百合花、石竹、松、竹、珊瑚、萱草、芦荟、兰花等；

几何类纹：米字形、菱形、回纹、丁字形、拐子纹等；

动物类纹：龙、夔龙、凤、鸾凤、绶带、练鹊、鹤、狮子、喜鹊、蝴蝶、蜻蜓、铁牛、蝙蝠、海螺等；

器物类纹：暗八仙、杂宝、八宝、磬、如意等；

果实类纹：石榴、葫芦、桃等；

其他类纹：双喜字、万字、山石、云纹、火珠、龟背纹等。

这些不同的花纹并非单一呈现，常常通过多种构图法将其巧妙的组合，从而形成富有吉祥寓意的纹饰。常见的吉祥纹饰有："龙凤呈祥"；"二龙戏珠"；双凤、双蝶回首顾盼的"喜相逢"；中心为团凤，周围绕以众多绶带、练鹊"百鸟朝凤"；桃与蝙蝠、桃与万字的"万福万寿"；凤与牡丹；云与鹤、松与鹤的"万年长寿"等纹饰。此外还有相当数量的龙穿花、凤穿花等，花鸟相间、八宝、杂宝作间饰等纹样，表达了帝后的唯我独尊及对美好生活的祈盼。

炕毯的构图，常见的有"四菜一汤式"，即毯中心设主图案，诸如宝相花、团花、喜相逢、团龙、团凤等，将辅助花纹以放射形式表现，再加饰四角隅花纹；有"散点式"，即炕毯以鸾凤、折枝花、绶带鸟、蝙蝠、暗八仙、杂宝等纹样，均匀地布满整毯；有"几何纹式"，典型的是以缠枝莲作四方连续图案。有些炕毯根据需要，刻意加数道边饰。炕毯多种形式的构图，在多种色彩的渲染中，表现出或典雅古朴、或纤巧富丽的纹饰艺术。

三、宫中用毯礼俗

清宫炕毯的铺用自有一套约定成俗的做法。一般情况的铺设物大致是凉席（诸如藤、竹质地的凉席）、毛毡、呢毡、栽绒毯以及丝织物铺垫等。宫廷铺用炕毯的情况，有关档案中记载颇多。如静宜园含静斋北次间前檐西设"楠木包镶床三间，上设；白毡一条，绿毡一条、香色锦坐褥靠背两件"。[2]"瀛台春明楼下东间床上铺：红白毡一，花毡一，凉席一、栽绒坐褥四件"。[3]颐和园漪澜堂西里间面东设的楠木包镶床，“上铺红白毡两块，红猩猩毡一块，藤凉席一领香色缎边，黄地红花毡一块石青缎边”。[4]“催长四德，笔帖式五德来说，太监胡世杰交红倭缎花毯一块，系养心殿后殿明殿床上铺，传旨：着找好匠役，设法将面宽接长六寸”。[5]“乾隆三十五年（1770年）十一月初十日，库掌四德、五德来说，太监鄂勒里交黄底红花猩猩毡一块，系养心殿后殿换下，传旨：著料活，在淳化轩铺用，再将现设之床无铺猩猩毡者满铺猩猩毡，先料估尺寸，外边不足用，向内库要”。[6]其清宫用炕毯的档案记载举不胜举。

仅上述档案中看似对炕毯的铺法、花纹、颜色没有严格的规定，但结合大量藏品，及其在宫中使用中留下得蛛丝马迹，从中仍探出宫廷铺用炕毯带有规律的用法，主要表现在多层铺用、特殊活动的择纹样、择色几方面。

清宫炕毯的铺设是以毡毯、丝织物面的铺垫以及凉席相匹配。根据季节，凉席铺在最下层，以起到防潮湿的作用；其上铺毛毡毯；再上铺漳绒、呢毯或栽绒毯类，直至最上层还会铺丝织物面的铺垫。层层叠落不同质地的炕毯，使得床面舒适而保温。每至夏季为纳凉，炕上则要铺用凉席。其中，铺于上面炕毯的考究要大于下面的炕毯，此做法是出于炕毯对寝宫具有装饰效果所为。最典型的是清宫中一幅康熙皇帝的画像，画中的康熙帝端坐在长炕上，炕铺得较厚，最上面铺用的十六世纪西方盛行的“黄地紫花哆罗呢炕毯”。此毯花纹俏美、色彩明丽，为房间增添了艺术气息。画像中用毯是宫廷日常生活普遍用毯的反映。

但是，清宫遇有特殊场合下的铺用，诸如皇帝大婚、坤宁宫萨满祭祀、万寿节等场合铺用的炕毯，则与之迥然不同，主要表现在择色、择纹饰方面。

以帝后大婚为例，铺在后妃寝床上的炕毯贵明黄色。清晚期隆裕皇后大婚三日后移居至钟粹宫时，其“前殿东次间前床，铺明黄毡绣花卉炕毯一；东进间前床，明黄毡绣花卉炕毯一，东床，明黄绣花卉炕毯一；西次间前床，明黄绣花卉炕毯，后床，明黄绣花卉炕毯一”。但光绪帝的珍嫔（即后来的珍妃）寝宫设在景仁宫，其铺垫中“东次间前床，大红毡绣花卉金双喜炕毯一，东进间前床，大红毡绣花卉金双喜炕毯一，西次间檐床，大红毡绣花卉金双喜炕毯一，西进间前床，大红毡绣金双喜炕毯一……”同属皇家婚事中用炕毯，唯皇后的寝宫享用明黄色呢绣花炕毯，而位居皇后之下的嫔则与明黄色无缘。

又如，位于皇宫内的坤宁宫，每遇大祭，帝后端坐在大炕的御座上，所铺用的即是明黄呢绣花炕毯。故宫博物院现藏“黄色呢绣花大炕毯”[7]，其一侧尚留黄纸条，其上墨书“南龙床”等字，经查系属当年坤宁宫祭神炕的铺用物。说明在宫中明黄色是帝后炕毯的专用色。

帝后用炕毯中也贵红色。红色历来被视为是喜庆、幸福的吉祥色。皇帝大婚的坤宁宫东暖阁洞房内“前床大红毡绣龙凤双喜炕毯一，东西床大红毡绣龙凤双喜炕毯二，东寝宫后床，大红毡绣龙凤双喜炕毯一，西寝宫床，大红毡绣龙凤双喜炕毯一，西寝宫床，大红毡绣龙凤双喜炕毯一……”[8]加上洞房内使用的红色喜字蜡烛、红色百子帐、红色的宫灯，整个洞房笼罩在一片喜庆的红色之中。

在花卉的择选上，红色呢上绣“双喜”字、龙凤为主花纹，以葫芦、蝙蝠为辅纹样的炕毯，是皇帝大婚时用的纹饰。而生活在外西路寿康宫的太后、太妃们，遇有生日或喜庆日子，其寝宫铺垫中也会用“红呢绣双喜龙凤彩云子孙万代炕单”。绣有团寿字与五蝠、菊花、绶带鸟、蝴蝶等为图案的炕毯，往往为庆祝帝后们生日而置办的。而坤宁宫祭神炕上所铺炕毯，中心饰富丽盛开的宝相花，其周围饰各类朵花、喜鹊、小鸟、小蜜蜂、蝴蝶、芦荟以及不常见的天牛虫。看上去图案似无主题，但繁杂的图案却与萨满教崇拜万物的宗旨相吻合。

黄呢绣花炕毯（局部）。坤宁宫是用于清代帝后祭祀萨满教的场所，宫内南北龙床上满铺黄呢绣花炕毯，毯背面的黄签墨书文字印证了这一史实。

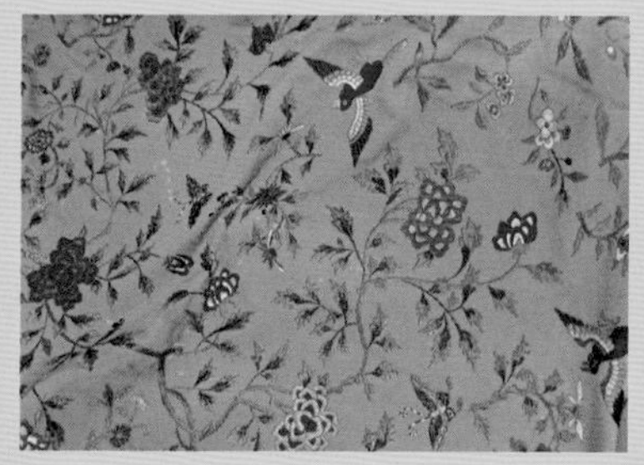

坤宁宫南龙床上铺陈的黄呢绣花炕毯(局部）中的昆虫、花卉及用色，皆与萨满教崇拜万物的宗旨相吻合，可见宫廷铺设炕毯是有规矩的。

储秀宫西次间前檐炕上铺设的红呢镶石青缎边炕毯。

四、宫中用毯情况

清代，同历代宫廷一样铺用炕毯，并依季节不同而铺用不同质地的炕毯。北京夏季天气炎热，宫中铺设罗、绸、纱等质地的绣花炕毯；春秋天气宜人，更多地选用薄呢、漳绒等质地的炕毯；寒冷的冬季，则主要铺用保温性强的毛毡、栽绒类炕毯。清宫炕毯在数量、使用方法以及特殊择用等方面，颇具特色。

清宫使用炕毯数量多，是继元代之后又一个大量铺用炕毯的朝代，皆因游牧民族特有的生活习俗所致。早在关外，满洲统治者的屋宇格局即“屋无堂室，敞三楹，西南北土床相连，曰万字炕”，并于“炕上用芦席，席上铺大红毡”。[9]入关后，满族统治者仍保留着游牧民族的生活习惯，在宫内大量铺用炕毯。清代皇帝对前朝宫室格局进行改建、增设。最为典型的改建是位于坤宁宫西侧的万字炕，即西、北、南三个方向的连炕，这是为宫内进行萨满教祭祀活动的需要而改建的。在皇宫以及各处御苑内，除设有供夜晚入睡的“靠山炕”外，还增设了“前沿炕”。此外，宫内还根据需要增设宝座床，这类床为宝座式，尺寸比宝座大，其用途同“前沿炕”。不同名目的炕需铺设不同类型的炕毯，以乾隆年藻韵楼楼下宝座床为例，“上铺红白毡两块，红猩猩毡一块，花毡一块，绣黄江绸迎手靠背坐褥一份”。[10]除宫中使用各种不同名目的炕毯外，每遇朝廷进行战争、出巡以及木兰秋狝野外活动等，帝后、众多官员以及随从等人住宿蒙古包时，也会从宫中带去众多炕毯作为主要坐卧具。

清宫内不同名目的炕、床、宝座床的设置以及外出活动中坐卧具的需要，在客观上要求宫内需要置办相当数量的炕毯。

纵观清宫各类炕毯，在充分体现清朝礼仪制度的同时，制作中的织、印、染、绣等工艺技巧，体现出当朝的工艺水平。在装饰上取材于自然界中的花草、禽鸟，并与建筑、家具、各类器物、绘画以及历代织物等部分图案相通，属于这类范畴纹样的设计，恰是中国传统文化的韵致。与此同时，受西洋艺术之风的影响，炕毯的制作中也汲取、借鉴西洋装饰艺术风格，从而赋予清宫炕毯以异域风情，清宫各类炕毯正是在中国传统文化与西洋艺术的双重影响下的产物。

注释

[1] 转引自吴淑生等著：《中国染织史》，上海人民出版社，1986年。

[2][3] [4] [5] [10] 朱家溍编：《清代宫廷陈设》，紫禁城出版社，2004年。

[6] 中国第一历史档案馆编：《圆明园》下册。

[7] 清鄂尔泰、张廷玉等编：《国朝宫史》下册，北京古籍出版社，1987年。

[8] 章乃炜等编：《清宫述闻》（初续编合编本），紫禁城出版社，1990年。

[9] 清杨宾等撰：《龙江三记》，黑龙江人民出版社，1985年。

《清玄烨像》中的黄地枣红花哆罗呢炕毯。

坤宁宫内南北龙床上铺设的黄哆罗呢炕毡（左图）。

红地云龙纹漳绒炕毯

清早期 / 长 253 厘米 宽 185 厘米

清宫旧藏

漳绒是我国一项传统工艺，相传因起源于福建漳州而得名，有素绒和花绒之分。花绒又称天鹅绒，是将连有假经纬的素绒坯置于台板上，先在毛圈上印上图案粉痕，然后根据图案印痕割断部分绒圈，以绒毛与绒圈的对比形成纹样。

此毯以红色经、纬线织四枚斜纹固结地，以红色绒经与假纬织成红色绒毛地，以捻金线为纹纬，与红色纹经织成花纹。此毯共三道边，其中两道为回纹边，一道为二方连续缠枝莲花纹饰。毯心主体图案为二龙戏珠纹饰，辅以四合如意云纹和牡丹花，寓吉祥如意、太平盛世之意，整体图案有着明显的明代的遗风。毯被所覆黄布里，更凸现了宫廷的特色。

这件地毯充分发挥了漳绒“雕花”的特色，色彩艳丽，图案紧凑有序，将皇家的威严与气度淋漓尽致地表现了出来，是清代漳绒炕毯中的有代表性的作品。

绿地云蝠纹毛毡炕毯

清雍正 / 长 216 厘米 宽 111 厘米

北京 / 清宫旧藏

此毯为清雍正年间宫廷擀制的毛毡炕毯。炕毯手工绘制图案。毯主体颜色为绿色。最外边以灰色布条围绕一周，既增加了毯本身的美观，又可防止边缘的磨损。边饰纹样为连续的小叶纹，层致有序。毯主体图案是四合如意云纹与蝙蝠，云纹张弛有度，飘逸自然，蝙蝠轻盈柔雅，寓意“如意幸福”。

毯整体构图清新自然，图案小巧精致，符合雍正帝一贯精巧的审美风格。

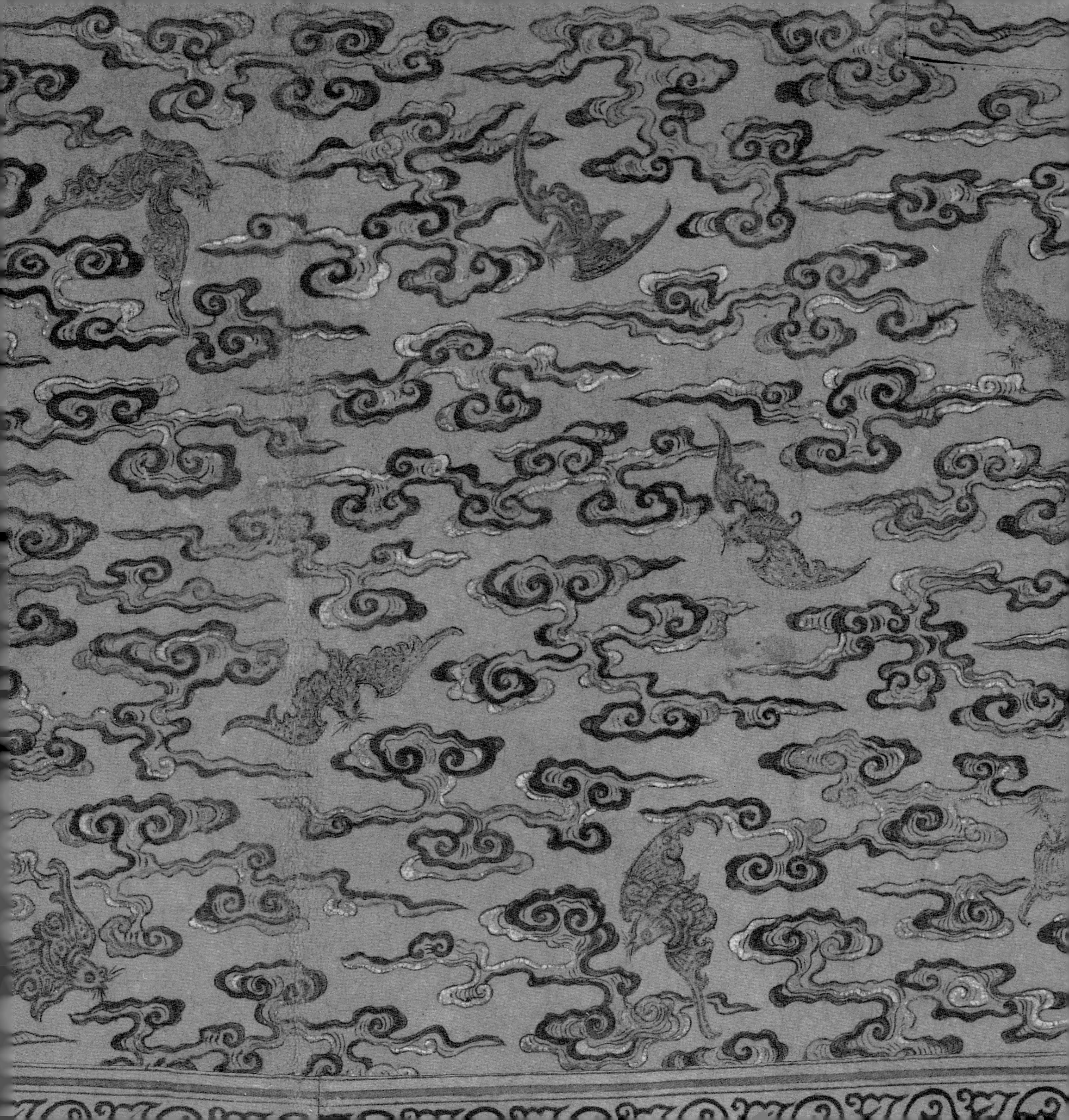

红地绣花卉纹毛呢炕毯

清乾隆 / 长 372 厘米 宽 271 厘米

清宫旧藏

此毯为羊毛呢绣花炕毯。哆罗呢以其质地细密、手感柔软、色彩鲜艳、易于裁剪的特点，在清代颇为流行。此毯采用中国传统的粤绣工艺，将图案绣于红色哆罗呢之上。其主体纹饰以续针绣和斜行针绣为主，辅以扭针和方格网针工艺，图案细密有致，色彩浓艳，渲染力强。毯背以覆以粉红色丝绸，正面边饰以蓝色花卉纹为主，主题图案有莲花、卷草纹，象征着“富贵高洁”“吉祥幸福”美好愿望。

地毯上还附一黄条，上书“乾隆五十五年十月，养心殿内交旧红绣花毡一块，绒里长一丈一尺四寸，宽八尺三寸”。

米黄地缠枝莲边栽绒炕毯

清乾隆 / 长 220 厘米 宽 145 厘米

绒高 0.6 厘米

宁夏 / 清宫旧藏

此毯为清乾隆年间宁夏为宫廷编织的栽绒炕毯。地经、地纬均为棉质，栽绒的拴扣方法为“8”字扣，每过两道棉纬拴扣一排，每 30.5 厘米起彩纬八十二道。

炕毯四周用浅粉色缎包边，边框由两道花边组成，第一道为棕色素边，第二道为深蓝色串枝莲花边。毯心以四角隅如意云纹为主纹，中间为米黄色素地，花纹色彩与地色形成强烈对比。

此毯起绒平整，花纹对称工整，色彩淡雅，质地厚实，具有良好的保暖性，是皇家用炕毯之一。

黄地九龙牡丹纹漳绒炕毯

清乾隆 / 长 900 厘米 宽 418 厘米

清宫旧藏

漳绒地毯具有轻盈舒适、美观实用的特点。此毯以黄色经、纬线织经四枚斜纹固结地，用黄色绒经与假织纬织成黄色绒毛地，以深蓝、蓝、粉红、绛色等颜色绒线为纹纬，与暗黄色纹经交织成图案。

此毯是清乾隆时期皇家所用地毯，由两部分构成。毯心为九条龙图案，其中八条成对称围绕着正龙，正龙下有海水江崖图案。图案间饰有如意云纹和牡丹花纹，带有“满地铺花”的构图特点，增强了图案的艺术效果。

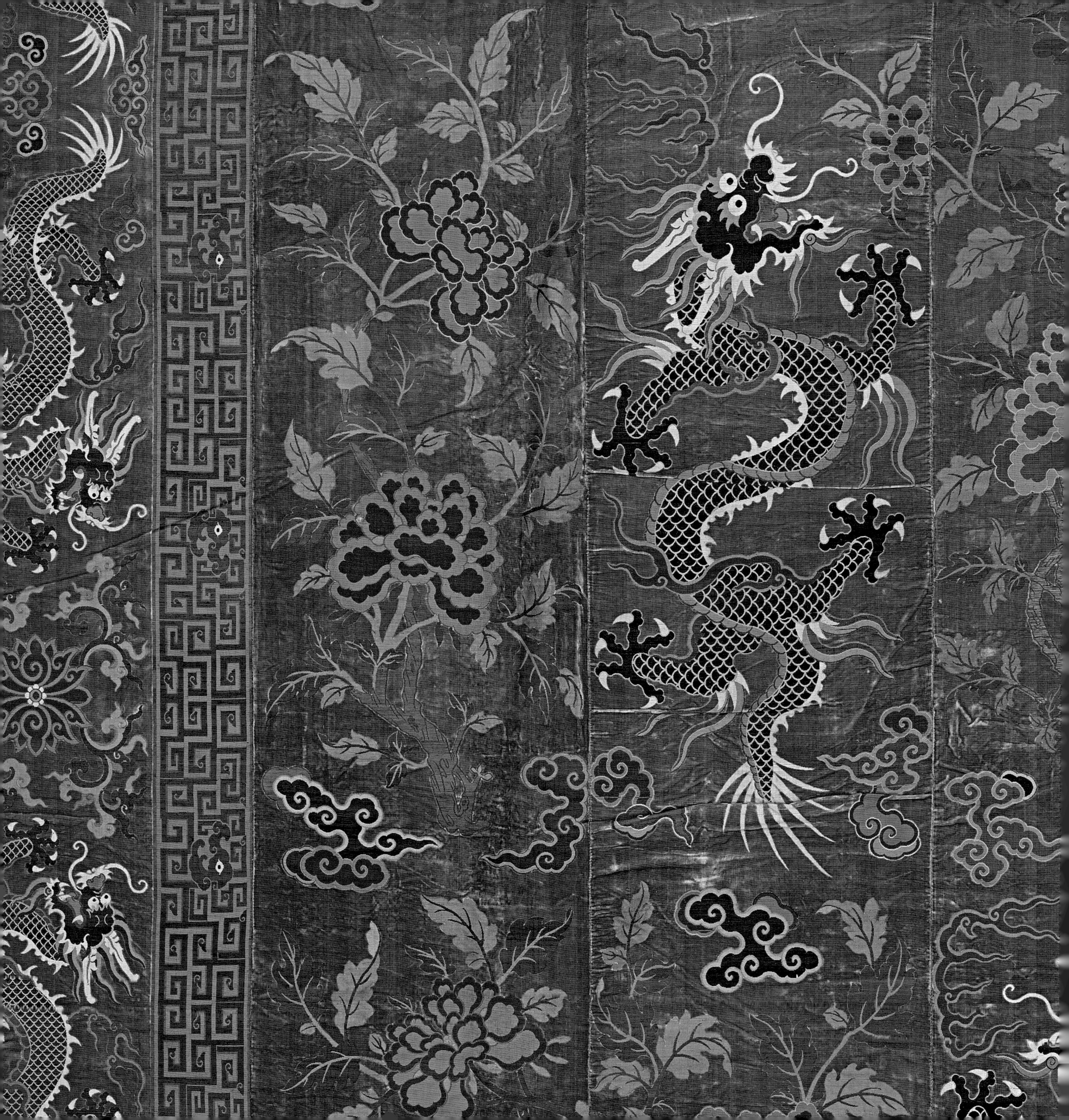

黄地桃蝠纹漳绒炕毯

清中期 / 长 395 厘米 宽 185 厘米

清宫旧藏

此炕毯由三块拼接而成。炕毯以黄色经、纬线织四枚斜纹固结地，以黄色绒经与假织纬织成黄色绒毛地，以紫红色绒线为纹纬，与黄色纹经交织成图案。此毯正面边饰为二方连续勾莲纹，主体纹饰为寿桃和蝙蝠，寓意“福寿万年”。背面覆黄色绸布。

此毯整个图案布局谐调，活泼自然，色泽鲜艳、明快，很有生活气息。

米黄地画花毛毡炕毯

清中期 / 长 197 厘米 宽 92 厘米

北京 / 清宫旧藏

此毯为清乾隆年间宫廷擀制的毛毡炕毯。毯以手工在白呢上面绘制图案。毯四周是大红色的包边，边饰为回纹。毯主体图案为缠枝莲花，枝叶是典型的洛可可艺术风格。上有蝴蝶和绿叶红花，蝴蝶颜色艳丽与红花绿叶相得益彰，构成一幅馨美的蝶恋花图案。

此毯图案受到宫廷内西洋画家的影响，带有明显的西方艺术风格，是清宫毯中中西合璧的艺术佳作。

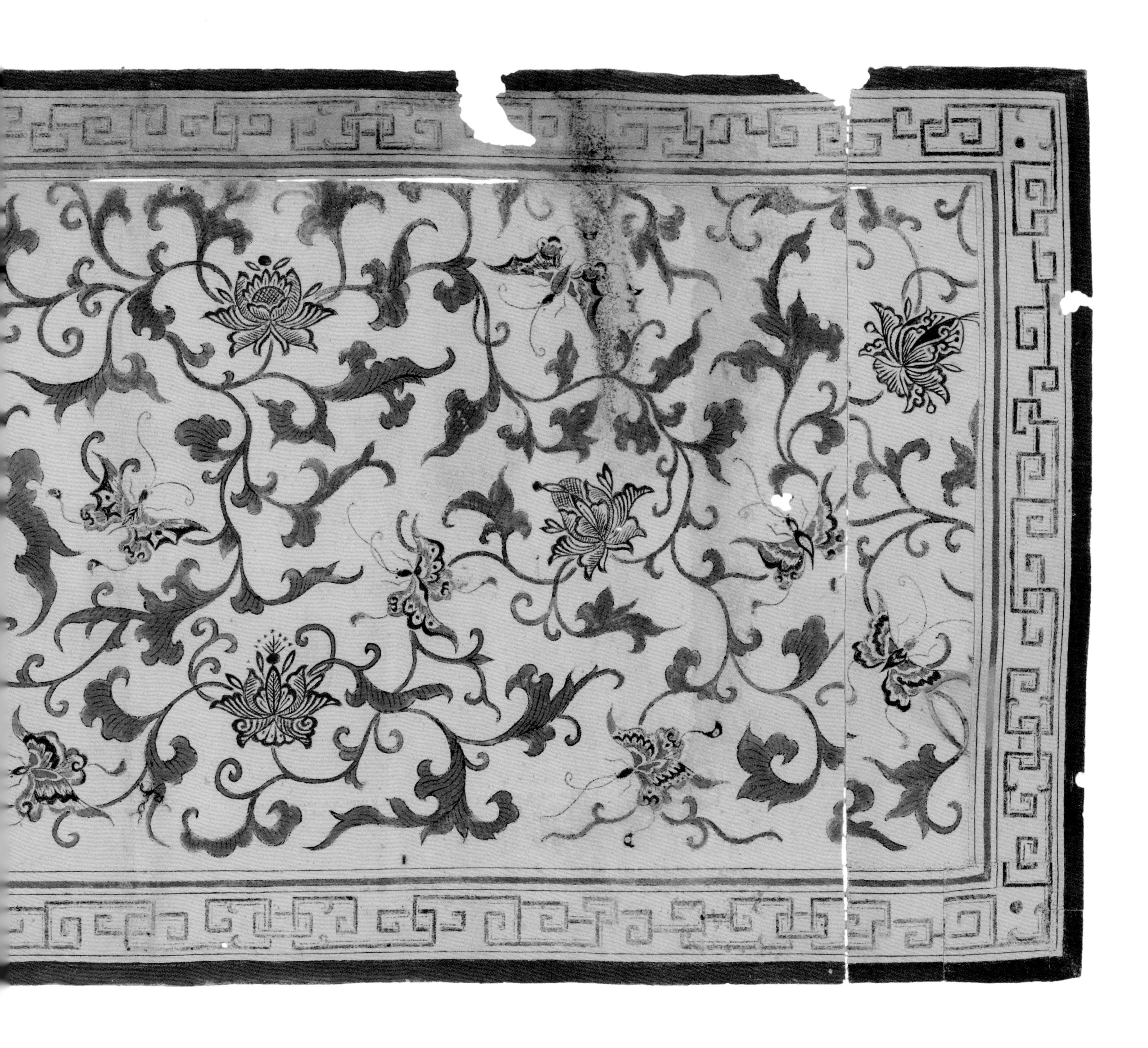

黄地绣龙蝠纹毛呢炕毯

清晚期 / 长 254 厘米 宽 136 厘米

清宫旧藏

此毯为毛呢绣花炕毯。苏绣继承了宋、明江南传统绣技，是清代最具特色的刺绣工艺之一，以其运针精湛、以针代笔的特点而著名。此毯采用了苏绣中的正抢针、平套针和迭抢针的技法，丝理清晰。此毯边为蓝色万字不到头纹饰，毯心中间为正团龙图案，四角各一草龙，全毯共九条龙，九龙在中国古代意味着至高无上的尊位，象征着皇权无上的地位。毯主题另附缠枝莲花，辅以蝙蝠、如意云纹等纹饰，代表着吉祥如意、福寿无边的美好愿望。

此毯图案颜色层次感分明，雅致有序。整个毯面图案结构搭配合理，清新自然，将皇家的尊贵与追求吉祥如意的愿望完美结合在一起。

黄地印花机织哆罗呢炕毯

18 ~ 19 世纪 / 长 170 厘米 宽 170 厘米

西欧 / 清宫旧藏

此毯为西欧机织的素色哆罗呢印花毯。毯子采用当时西方先进的印花技术，花纹平整有序，以中心的团花为主，辅以小卷叶花卉纹。主题突出，结构密致，自然雅致。毯四周以欧式的卷草纹缠绕，最外边缝以棕色的丝线穗，美观实用。此毯主题以象征皇家身份的明黄色为纹饰色调，搭配以朱红色的底色，符合中国人传统的尊贵喜庆的色彩搭配。毯以西欧纹饰搭配皇家色调，明晰富丽，雅致高贵，别具一格。

西欧机织毛呢印花毯，往往成批进入宫中，宫内根据铺陈的需要，再按尺寸通过裁剪、拼接、包边等手段，加工成不同规格的炕毯。

黄地印花机织哆罗呢炕毯

19 世纪后期 / 长 220 厘米 宽 167 厘米

西欧 / 清宫旧藏

此毯为西欧机织哆罗呢印花毯。十九世纪初期，欧洲发明滚筒印染技术，在印花时织物与印花衬布相叠，相继经过各只花筒和承压、滚筒之间的轧点印上花纹并烘干，然后根据色浆中染料的性质进行固色或显色，最后将织物洗净烘干，完成印花。中期以后，“合成染料”出现，与滚筒印花技术相结合，产生了优美的“维多利亚风格”的印花产品，此花毯即是采用这种技术。

此炕毯色调对比明显，层次突出。以黄色为地色，最外边以连枝小花纹辅以棕色大叶植物，枝叶相连，密致有序。中间饰以红色的欧洲大叶花卉，内边为小棕色花卉图案，图案紧凑，色彩搭配厚重，素雅大气。最中心的是红色的团花，四角隅辅以花卉纹。

此毯具有明显的欧洲贵族生活情调，代表着当时欧洲的流行时尚。

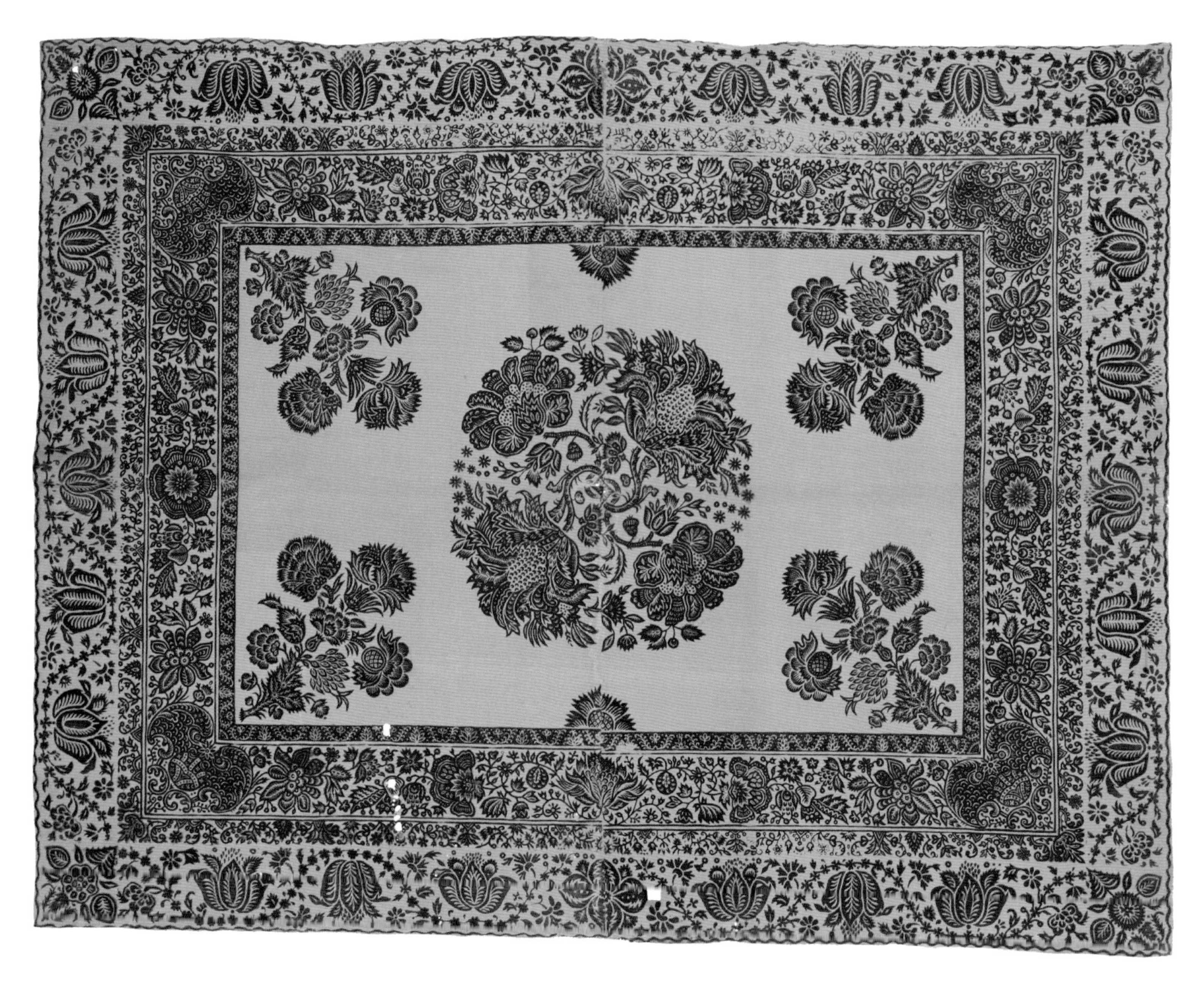

黄地印花机织哆罗呢炕毯

19世纪 / 长204厘米 宽133厘米

西欧 / 清宫旧藏

此毯为西欧机织的哆罗呢印花毯。西方的哆罗呢炕毯在清代宫廷生活中占有重要的地位，既美观别致，又轻便实用。此毯周边缝以红色丝线穗，艳丽明快，自然美观。毯边饰以绿色连续花卉纹，四角各有以红色方形花卉纹，毯主体为对称的两幅花卉纹饰，内有几何纹点缀。整个图案结构搭配合理，色调明快自然，既突出了皇家的尊贵，又有自然花卉的和谐，为清代皇家毛呢印花毯中的上品。

黄地印花机织哆罗呢炕毯

19世纪 / 长328厘米 宽106厘米

西欧 / 清宫旧藏

此毯为西欧机织的哆罗呢印花毯。印花技术是近代欧洲印染业的一项重大突破，将花筒压印于织物，色浆转移到织物上印得花纹，打破了传统的染色技术的局限，也推动了地毯纹饰的变革。

此毯是西方织物进入宫廷的哆罗呢毯，正面主体为黄底色，上有红色大叶卷草花卉纹、团花等图案。毯心为对称的花瓶，内盛开着郁金香等花卉，富丽大气，高贵典雅。背面覆以蓝色绸缎，美观实用。

这些欧式的图案在清代宫廷颇受欢迎，成为清后期皇家用炕毯数量最多的一种。

红地绣双喜龙凤彩云子孙万代毛呢炕毯

清晚期 / 长 463 厘米 宽 330 厘米

清宫旧藏

此毯为清代光绪皇帝大婚铺用的毛呢绣花炕毯。绣并施以平金，色彩浓郁鲜艳，主要针法顺咬针、平针、叠鳞针、风车针等，都是粤绣的代表工艺。图案整体呈现出喜庆的格调。毯边为万蝠花卉喜字花边，间有葫芦、梅花和寿桃纹饰，蝙蝠花卉寓意富贵、幸福，葫芦象征着多子多福，寿桃则代表着长寿。毯心主体为龙凤双拥一个平金绣双喜字，喻龙凤呈祥之意。与前期的龙凤纹样相比，这一时期的图案相对单薄，丰满度相对差一些，毯面的火珠纹和如意云纹缠绕着主体龙凤图案，有珠联璧合、吉祥如意之意。四角有蝙蝠和盘长，寓意“同心连接，互敬互爱”。

毯心的布局有明显的京毯“四菜一汤”的构图风格，构图清晰严整，富丽中透出高贵，将婚礼时的喜庆与皇家的气度完美结合。

坤宁宫洞房内喜床铺设的炕毯。

《清载淳便装像》中的黄地缠枝莲纹栽绒炕毯（局部）。

《清胤禛读书像》中的黄地红花哆罗呢炕毯，毯上铺有黄地缠枝花纹坐垫（右局部图）。

廓如亭

壁毯类

苑洪琪

壁毯，又名墙毯、壁衣，主要在冬季使用，具有保暖与装饰双重功效。故宫现存大量清代宫廷壁毯，纹饰多样、题材广泛、施色瑰丽，并常配有金线作点缀，被世人赞誉为壁毯之最。

一、历史渊源

壁毯的织造与应用，有着悠久的历史。古代游牧民族用兽皮当衣作被，住在四面透风的帐篷里，挂张兽皮遮挡风寒。兽皮上的纹饰具有美化环境的功能，可视为古代壁毯雏形，为后世所沿用。后世壁毯综合了绘画、书法等各种艺术，但质地与纹饰已经有很大的变化，逐渐出现羊毛编织、丝线编织及加金锦缎等多种技术。《墨子》中载，商代用锦绣织物覆壁[1]；而咸阳秦皇宫的第一号宫殿遗址中的主要大房间，门道中发现有壁画，室内墙壁素白，房间内又出现有环钉，应是张挂“壁衣”的装置。[2]汉朝，贾谊在《治安策》中云：“白(绉纱)之表薄纨之里，捷(缝衣)以编诸美者绣，是古天子之服，今富人大贾家会召客者以被墙。”[3]古天子所穿的精美绣品，在汉代被富商大贾挂在墙上作为装饰。新疆洛浦县出土的“人首马身”纹饰毛织挂毯[4]，为西汉末年至东汉初年之物，色彩艳丽，构图充满异域的文化情趣，极富装饰性。唐代壁毯的使用更加普遍。岑参《玉门关盖将军歌》载“军中无事但娱乐，暖屋绣帘红地炉。织成壁衣花氍毹，灯前侍杯泻玉壶”，[5]描写了军营使用壁毯的情景。唐代佛教兴盛，寺院等大量出现，作为佛教艺术品的壁毯与建筑、雕塑浑然一体。如敦煌千佛洞中悬挂的观世音大幅绣像，光辉夺目，令人震撼。

新疆洛浦县出土的西汉缂毛人首马身纹壁毯（残片）。

辽代以后，壁毯因价格昂贵为少数人垄断，也成为宫廷皇帝及贵族才能享用的奢侈品。金代，完颜阿骨打当了皇帝后，仍喜欢住毡帐，铺、挂毛毯。元代皇宫“至冬月，大殿则黄猫及壁幛黑雕褥，香阁则银鼠皮壁幛，黑雕暖帐”。[6]在宫内设毡毯院局、织毯工场，精选各地的毯匠为宫廷织栽绒毯、回回剪绒毯（新疆毯）、掠绒剪花毯、

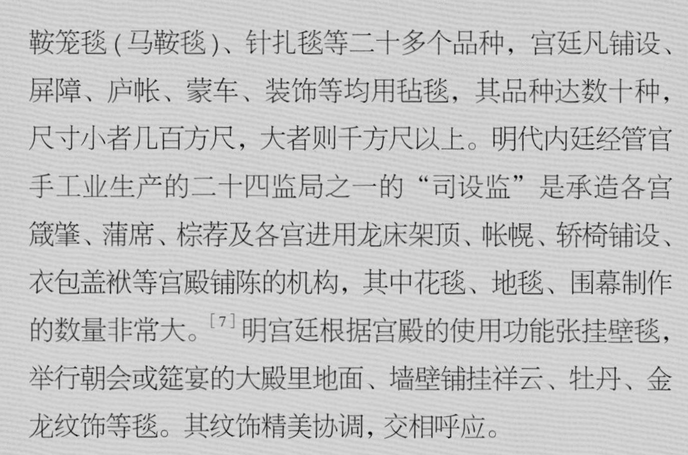

鞍笼毯（马鞍毯）、针扎毯等二十多个品种，宫廷凡铺设、屏障、庐帐、蒙车、装饰等均用毡毯，其品种达数十种，尺寸小者几百方尺，大者则千方尺以上。明代内廷经管官手工业生产的二十四监局之一的“司设监”是承造各宫篋篷、蒲席、棕荐及各宫进用龙床架顶、帐幌、轿椅铺设、衣包盖袱等宫殿铺陈的机构，其中花毯、地毯、围幕制作的数量非常大。[7]明宫廷根据宫殿的使用功能张挂壁毯，举行朝会或筵宴的大殿里地面、墙壁铺挂祥云、牡丹、金龙纹饰等毯。其纹饰精美协调，交相呼应。

清王朝与金、元王朝有着颇多相似的文化背景和生活习惯。努尔哈赤在吸纳中原先进文化的同时，也保留着本民族的生活习惯，征战时也以毡帐为殿。迁都沈阳后，把大政殿、十王亭殿修成毡帐的样子，宽大的墙面是为张挂壁毯而设的。入关后，紫禁城的太和殿、中和殿、保和殿三大殿内，殿顶与殿墙的结合处也设有挂壁毯的金属滑轮，间隔 50 厘米安装一件。故宫现存壁毯有钉布袢和钉有金属钩两种，都是方便张挂的设置。

二、品类及使用情况

每到冬季，紫禁城内殿堂、寝宫的墙壁、门口、窗户都要采取保暖措施，乾隆帝诗曰：“帘幕重重下，兽炭旋轩燃；犹恐寒侵肌，向火争趋前……”[8]诗中的“帘幕”，是指冬天挂在门口、窗户和屋内墙壁上的具有保暖和美化环境功能的“毡毯”，即壁毯、围毯等。这些毯子既可以阻挡外面的寒风吹进室内，也防止室内的暖气外流。根据其使用地点不同，壁毯可分为壁毯、窗户毯、围墙毯等。

1. 壁毯

北京城冬季天气寒冷，每年冬季宫中都要张挂壁毯御寒、保暖。清代宫中，如何装挂壁毯都要秉承皇帝旨意。有时皇帝会提前半年，甚至更早的时间就下旨“指导”壁毯张挂事宜。相比于壁毯的其他功能，清代皇帝更注重的是其装饰功能。在清代内务府造办处活计档中，就有多处

记载这类情况。如乾隆二十六年（1761年）四月初九日，乾隆帝下旨："圆明园新建的西洋建筑大水法十一间楼下北明间二间、南明间二间做壁毯"。这里本来挂的是西洋绘画挂毯，但乾隆帝觉得"先挂西洋毯子不合尺寸"，故命人重新织作。[9]对于壁毯的用料与纹饰，甚至用在什么地方，皇帝也会亲自过问、做出安排。同年，太监胡世杰传旨："将梵香楼现挂三面壁衣摘一件来呈览。"乾隆帝阅后，下旨："着交安宁照样成做壁衣二件送来，身份、颜色、花纹、款式不可错了。"这两件壁毯制成送来后，乾隆帝下旨：在含经堂挂。而对于含经堂换下来的两块，乾隆帝也有安排，"将换下壁衣二块在热河安挂，尺寸不符著改做"。[10]可谓"事无巨细，悉尊圣意"。

现存"红地花卉纹羊皮毯""羊皮画百鸟朝凤壁毯"即是壁毯中的精品。红地花卉纹羊皮毯和白地百鸟纹羊皮毯，是故宫保存完整的两件羊皮墙毯。羊皮质地轻薄、手感爽滑如绸，至今板质柔软，弹力均匀，韧性十足。将生硬的羊皮用石灰水浸泡，经过脱毛、脱脂，防腐处理后，反复鞣制，使羊皮板既有丝绸的效果，又有良好的透气功能。然后再将一件件羊皮用细密的缝线，平展地拼接成纵五米多、宽四米多的皮毯。两件皮毯毯边的纹饰相同，为三宽四窄七道，两道白地红丁字宽边，中间是黄地五彩祥云与蝙蝠，四道窄边为粉色。红地花卉纹皮毯，以菊花为主，牡丹、灵芝、玉兰及祥云点缀其中；白地百鸟纹皮毯的正中部位，彩绘凤凰、孔雀、绶带鸟等飞禽。两件皮毯纹饰表达出的富、贵、寿含义，是财富、权力至高无上及延年益寿的寓意与象征。

宫中档案中还记有大量的栽绒"通景壁毯"，因受毛织物工艺幅宽的限制，需要将多幅拼在一起，才能组成面积较大、图案完整的通景壁毯。如乾隆十五年（1750年）六月初一日，造办处员外郎白世秀交给太监胡世杰七处宫殿的十五幅壁毯："养性斋绒毯一座，计两幅。绛雪轩南稍间面东绒毯一座，计两幅。绛雪轩南稍间面西绒毯一座，计两幅。绛雪轩北稍间西南绒毯一座，计两幅。摛藻堂绒

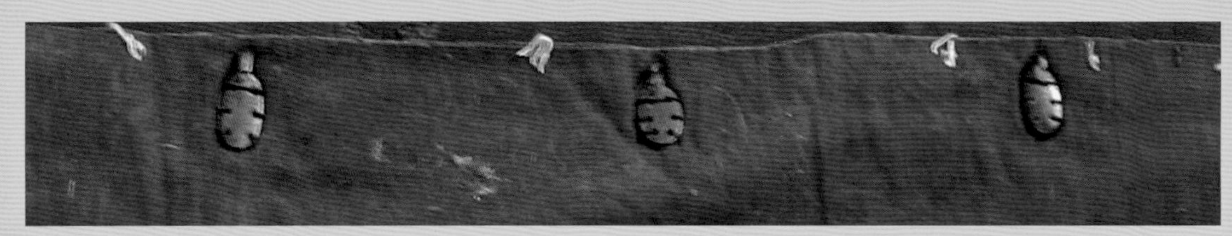

清缂毛人物挂毯毯背面上的挂钩。

毯一座，计两联。怀清芬东进间绒毯一座，计三幅。怀清芬西进间绒毯一座，计两幅，各随样子。"[11]

此外，宫中尚有少量西洋壁毯。富于异域艺术品味的西方壁毯，主要是外国使团通过贡品或者礼品的形式送给中国皇帝的。现存档案中，有过多次外国壁毯进入宫廷的记载。乾隆十七年（1752年），葡萄牙国王遣使的进贡物中即有挂于墙壁供欣赏的"织人物花毡"。[12]乾隆中期，路易十五将由博韦织造的名为《中国色彩》的壁毯，作为礼物送给乾隆帝。乾隆帝为张挂这套西洋壁毯，而于乾隆三十四年（1769年）对圆明园远瀛观内部进行改建。[13]

2. 窗户毯

故宫博物院现存壁毯中，还有窗户毯，又称"窗户挡"，其作用与壁毯一样有着室内保暖与美化环境的双重功效。清宫内，随季节不同而选用不同质地的窗户帘，春、秋两季用绸帘，夏用竹子编帘，冬用毡毯作帘。嘉庆年间《工部进单》称，"大内用帘两千七百二十架，他园苑隶内务府成造者，不在此数"。[14]冬季，在大殿堂内用羊毛擀制的素白色毡挡窗户，按照窗户的尺寸做成可卷可放的卷帘；帝后所居宫室内，则据皇帝的旨意挂不同纹饰的花毡毯做窗户帘。如乾隆二十四年（1759年）二月二十四日，太监毛团传旨："慎修思永窗户五处上钉花毡子。"于五月二十三日，"催总张四带领匠役进内，于慎修思永窗户五处上丁（钉）花毡子讫"。[15]又如乾隆五十九年（1794）八月十三日太监常宁传旨："热河延薰山馆明间东次间北窗户上着查西洋花毯安挂……九月二十九日库掌四德、五德来说，太监胡世杰交西洋花毯二块。传旨：照花毯上花

红地花卉纹哆罗呢墙毯及毯背上的黄签。冬季为防寒保温，室内外用墙毯极为普遍，此为一例证。

西洋花卉纹壁毯（局部）。

清人画《曹家授书图》（局部）中的窗户毯。在寒冷的冬季，室内窗户悬挂缂毛或毛毡的窗户毯，用以避寒保暖。

养心殿后夹道窗户原状。养心殿后殿正间北墙曾有大窗户，乾隆皇帝为此窗户谕令编制“窗户挡”，即现藏品中的缂毛人物挂毯。清晚期此窗户不复存在。

样按热河延薰山馆窗户尺寸画样呈览，准时连花毯一并发往苏州，照样织做。”[16]文中作为窗户毯的“西洋花毯”，就是西方织造的“印花哆罗呢”。这种毯子通常在素色地上印出繁多的花卉图案，有着极好的装饰效果。故宫现存哆罗呢窗户毯多件，有红、蓝、驼等单色的，也有双色印花的。哆罗呢窗户毯都镶有蓝色的布里衬，边上钉着铁挂钩。这些窗户毯或正方或长方，大小不一。由于资料所限，无从考证其当年使用于何处。

故宫博物院现存一件“缂毛人物挂毯”，经笔者对档案与实物反复核实后，确认曾挂在皇帝寝宫养心殿正间窗户上的（养心殿寝宫北窗户，在乾隆、嘉庆时尚存，道光时被封，现在养心殿后夹道仍有遗迹）。这件“缂毛人物挂毯”，是在乾隆帝的旨意下由苏州制作的第三件成品。其第一、二件都因毯子织成后，尺寸不合，或大于窗户沿或不足窗口宽，不得不改作他用。只有这件纵230厘米，宽420厘米，呈长方形的窗户毯，尺寸合适，制作精美，最合乾隆帝的心意。[17]

3. 围墙毯

围墙毯是在宫殿内墙或蒙古包内使用的，毯高在70～290厘米之间，自地面而上悬挂。宫内殿堂高大，冬季的殿内虽然有炭火盆、熏笼等取暖设备，但殿顶高、空间大，难以抵挡寒冷。在殿内设置围墙毯保暖，是当时御寒的有效方式之一。乾隆帝即位之初，曾谕旨，在自己居住的寝宫养心殿后殿及日常处理政务的养心殿西暖阁“着做氆氇围墙”，“窗户上着添做黄毡帘”。[18]氆氇，即藏语的音译。氆氇围墙毯为斜纹编织质地、紧密厚实的羊毛织品，耐磨，久不褪色。

围墙毯在纹饰构图上，依建筑规格、用途不同，设计出边框、内饰等建筑内墙必要的装饰图案。故宫现存“织绒紫地黄云龙墙毯”，在毯高的三分之二处，以龙、海水江崖为主要纹饰，四周环以万字不到头的边框；其下的三分之一处为浅绿色龟背纹。从这件墙毯的纹饰来看，二龙戏珠的边框及龟背纹与太和殿的内饰相像，但墙毯高度与太和殿又相差甚远。另有“织绒紫地黄云龙墙毯”应是用于与太和殿功能相等的、临时搭建的毡帐中的。在临时搭建的建筑内用围毯的例子很多。雍正九年（1731年）九月二十六日，雍正帝下旨：“乾清宫西丹墀板房内旧羊皮帐子一架、白毡毯围墙二份，俱着收拾。”[19]再如，乾隆年间郎世宁等所绘《塞宴四事图》中随营女眷居住的毡帐内，即使用缠枝莲花卉围墙毯。

花色围墙毯依照所用环境而定，多为厚实、平整挺括、经久耐磨的氆氇、织绒、漳绒、羊皮毯等。故宫博物院现存围墙毯中有红地印黑花、黄地印紫花、黄地印红花、桃红地印青花等，都是当时使用过的，均为印花哆罗呢。此外，尚有白毡绣花围墙毯、羊皮绘画围墙毯等。如乾隆四十五年（1780年）十月十五日，太监鄂鲁里传旨：“含经堂搭盖五合蒙古包中间前厅新做白底押印红花毡里围墙拆下，在养心殿东暖阁铺地用，将东暖阁现铺黄地红花毡仍在蒙古包内做里围墙用。”[20]

三、质地

故宫藏壁毯多以羊毛、丝、麻混纺为材料，有栽绒、缂毛、哆罗呢、金彩绒、画毡、绣毡、彩绘羊皮等多种质地。现存的“紫地蝴蝶花卉金彩绒大壁毯”“绿地缠枝莲金彩绒大壁毯”“白毡画蝴蝶菊花壁毯”“羊皮画百鸟朝凤壁毯”“羊皮花卉大壁毯”“缂毛人物挂毯”及“万寿山风景挂毯”等，都是清代宫廷各时期使用过的。

目前保存最好的一件是“盘金银线玉堂富贵大壁毯”。整毯以蚕丝线为原料。依据乾隆年间宫廷画稿设计、采用新疆维吾尔族传统的编织方法而成的。在底经底维栽入彩色羊毛或彩色丝线，由彩色毛纱的横截面来显示毯面，由此构成玉兰、海棠、牡丹、灵芝、竹子、太湖石、蝴蝶等图案，又在不栽绒的地纹上盘结金银线，形成显花处栽绒结扣，金银光泽的地上衬托着各种彩色的毛、丝栽绒花纹。纹样构图以自然界中的树木、花卉、果实、昆虫、太湖石以及园林景色进行组合，配有多种彩色线，编织出的花纹错落有致、自然秀美，并表现出吉祥的寓意，以中国传统的写实手法再现了园林风光。这些纹饰在盘金银线的衬托下，呈现出不同的色光。金色与五颜六色的彩线相协调，绚丽夺目，更能显示出辉煌与富丽。这件壁毯是乾隆年间由新疆地区的回子毯匠为宫廷编织的，具有浓郁的新疆风格。[21]

四、纹饰

清代末期宫廷的羊毛栽绒“万寿山风景壁毯”，取材于慈禧太后重修后的颐和园风景，将夏天的昆明湖、万寿山、佛香阁、十七孔桥、廓如亭等按比例谐调地汇于一毯，亭榭湖水、铜牛垂柳、石舫舟桥等优美的景色经多色彩的羊毛栽绒编织的渲染，精美异常。非常有意思的是，现存“万寿山风景壁毯”有两件，其一以万寿山为远景，宽阔的昆明湖水占据着画面的主要位置；另一件以万寿山为主，昆明湖水为辅。体现出慈禧太后对这一纹饰的喜爱，也同样可以说明壁毯纹饰往往要秉承帝后旨意。从挖去的缺口看，这两件挂毯曾挂在两个不同的环境中。

壁毯图案在色彩的相配中，采用反配法，使其装饰得华丽、清新、雅致，具有浓郁的宫廷韵味，张挂在各宫殿的墙壁上与其内陈设等什物起到了相得益彰的装饰效果。其中“缂毛人物挂毯”以白色毛线为经、彩毛线作纬，以齐缂或平缂为主，纬线中加进蚕丝，丝毛相间，粗细反差大，立体感强。特别是挂毯的边饰由深、浅棕色和深、浅黄色拼色线缂织卷叶花卉边，似欧洲油画的画框效果。这种缂织法在风格和表现手法上，明显受到欧洲挂毯的影响。毯面以欧洲写生技法处理，表现中国传统的合家欢聚过新年的情景。画面以五十六个人物为主，个个皆为灵动、活泼、可爱。儿童们神态各异，有的敲锣，有的放鞭炮，有的吹唢呐，有的观灯，有的持梅，有的端杯，有的捧印，有的秉烛，围在大人们身边讨要压岁钱。长者坐在圆桌旁，左手持如意，右手把酒盏，眉宇舒展、胡须飘逸，长者旁边的妇人们或站或坐，微笑着看庭中尽情嬉戏的孩童，目光中充满了舐犊之情……整幅画面表现了“一家多富贵，荣华降吉祥”的美好寓意。挂毯以黄为地色，人物头上戴的卧兔帽、风帽、包巾、幞头俱用宝蓝色，与其身上白、粉、红、蓝、绿等色的衣服形成柔和的对比色，淡雅明快，缂织的单色毛纱中还使用了晕色技法，使织物纹饰渐次过渡匹配，色彩层次丰富。晕色配线的合股毛纱或用同类降色线，或用两种对比的颜色线拼配，极富立体感和装饰性。“缂毛人物挂毯”挡在窗户上，已是一件完全艺术化的毛织作品，远远超出挂毯自身的实用性。

壁毯纹饰有按照设计好的图案编织栽绒或缂毛的；也有在织成单色毯面上，再进行绘画和印花的；还有不施花纹的为单色毡毯。其中先设计图案、再编织的壁毯，其纹样、用色都要按皇帝旨意，由清宫内任职的画家设计、着色。如雍正五年（1727年）八月二十五日，雍正帝下旨：“（圆明园）万字房通景壁前，着画西洋吉祥草毯子呈览。”十月初一日，郎中海望将“画得东一路屋内通景画壁前吉祥草花样毯子两张”呈览。雍正帝认为：“周围的万字景边不好，着另画碎花，其底的颜色不必染黄。”[22]

宫廷壁毯在防寒、保暖的同时，更多的是以精美的画面取悦于人。用织成材料制作的壁毯，需要剪裁或拼接。如漳绒、织绒等，宽约27厘米，匹长20米左右，织造的

黄地龙戏珠牡丹花卉纹漳绒壁毯（局部）。

绿地缠枝莲纹漳绒壁毯（局部）。图中展示出织做大型壁毯时，主图与边饰要尽可能合理拼接的情况。

万寿山景栽绒壁毯（左图局部）。

花纹十分精细。要是做大面积的壁毯，不仅主要图案拼接，还要按照挂毯的位置拼接边饰，工艺相当复杂。如现存"绿地漳绒缠枝莲壁毯"就是经过多幅面料拼接而成的。壁毯中相对简单的，是在单色哆罗呢上加工印花。哆罗呢往往都是单色地，如黄色、红色、绿色、香色等。做壁毯需要套色印花纹，多为单色，也有少量双色花。

壁毯的大量使用，与周围环境和谐一体，将皇宫装饰的富丽堂皇。乾隆年间曾亲眼所见御幄内挂壁毯情景的英国人感叹道"幄中一切陈设之物，如桌椅及一切木器，既穷极华丽，而壁绒、帐幕、地毯、灯笼、缨穗、窗户之属亦无一非精品，而且颜色之相配，无一不斟酌适宜，置日光间，目下所及，但觉金碧辉煌，五色交错"。[23]十九世纪，一位美国人对慈禧太后居所也有同样的美誉："墙上绘画，康、雍、乾巧夺天工的瓷器，精雕细琢的中式桌子，华丽丝质绣花门帷，看到那些专为皇上、皇太后们织成的精美绝伦的挂毯，我们才有可能体会到慈禧私室的富丽堂皇和优雅尊贵，才能体会到它的美。"[24]

故宫现藏壁毯题材广泛、施色瑰丽，并常配有金线做点缀，被世人赞誉为辉煌壮丽的杰作。但清代壁毯的生产，主要限于宫廷使用，在社会上尚未形成规模，并不具备专业设计壁毯的人才队伍，也无固定的织毯群体，这些都直接影响了壁毯的艺术成就。尽管社会上有优秀的壁挂作品出现，但仍是个别的、零散的，不具有代表性。生产机构不健全，以及中国传统室内审美情趣（包括清朝在内的历代皇宫，乃至达官贵人家居的艺术品，以崇尚绘画、书法及缂丝画等为主流）自身的局限，在很大程度上制约了壁毯精品的问世。

注释

[1] 汉刘向著：《说苑》卷二十"反质"。引墨子语："纣为鹿台糟丘，酒池肉林，宫墙文画，雕琢刻镂，锦绣被堂，金玉珍玮……"

[2] 秦都咸阳考古工作站：《秦都咸阳第一号宫殿遗址简报》，《文物》，1976年第11期。

[3] 汉贾谊：《治安策》，见汉司马迁著《史记·屈原贾生列传》，中华书局，1962年。

[4] 新疆维吾尔自治区博物馆：《洛浦县山普拉古墓发掘报告》，《新疆文物考古新收获（1979～1989）》，新疆文物考古研究所编，新疆人民出版社，1995年。

[5] 唐岑参：《玉门关盖将军歌》。

[6] 明萧洵：《故宫遗录序》。

[7] 明何士晋撰：《工部厂库须知》卷十一，玄览堂丛书续集本。

[8]《乐善堂全集》卷十六。

[9] 中国第一历史档案馆编：《圆明园》下册，页1412。

[10] 中国第一历史档案馆编：《圆明园》下册，页1413。

[11] 中国第一历史档案馆藏《宫中杂件》。

[12] 中国第一历史档案馆编：《中葡关系档案史汇编》（上），中国档案出版社，2000年。

[13] 法约翰·怀特海著，杨俊蕾译：《18世纪法国室内艺术》，页128。另参见童寯：《北京长春园西洋建筑》，《圆明园》第一集"圆明园罹劫一百二十周年专号"，1981年11月。

[14] 吴振棫著：《养吉斋丛录》，页217。

[15] 中国第一历史档案馆编：《圆明园》下册，页1264。

[16] 中国第一历史档案馆编：《清宫热河档案》，第三册。

[17]《造办处活计档》，行文3566，乾隆三十五年十一月二十九日。

[18]《造办处活计档·毡帘作》，乾隆五年正月。

[19] 朱家溍编著：《明清室内陈设》，紫禁城出版社，2004年。

[20] 中国第一历史档案馆编：《圆明园》下册，页1264。

[21] 乾隆朝《造办处活计档》3520包："乾隆二十七年正月十四日，太监胡世杰传旨'圆明园殿内地平着照养心殿地平现铺毯子一样，采尺寸交新柱照尺寸样织回子毯一块送来，钦此。'"

[22] 中国第一历史档案馆编：《清宫热河档案》，第三册。

[23] 英马戛尔尼著，刘半农译：《乾隆英使觐见记》，天津人民出版社，2006年。

[24] 美赫德兰著、吴自选、李欣译：《一个美国人眼中的晚清宫廷》，百花文艺出版社，2000年。

明万历年版画《仇英画列女传》中的姚里氏毡帐内的壁毯与帷幕。

清郎世宁画《围猎聚餐图》（右图局部）中的黄地缠枝花卉纹毡毯。图中描绘乾隆皇帝一行在围猎结束后坐在毡毯上休息，背后是黄地缠枝花卉纹哆罗呢蒙古包，表现了皇帝在休闲娱乐活动中使用毡毯的情景。

紫地织绒黄云龙墙毯

清早期 / 长 460 厘米 宽 262 厘米

清宫旧藏

此毯为清早期官方织作的平纹墙毯。墙毯以毛麻混纺为原料，采用平纹织法织造，并在黄色地上饰彩画而成。下边为绿色长条墙围边，两对称边图案为如意云和火球，寓意“吉祥如意”。围墙主体图案为浅绿色内填团龙的龟背纹，图案成几何形排列，使图案更加具有生气，拓展了视域效果。上半部分与下部相接，其主体图案为龙纹，正中的正龙辅以两边各六条小龙，底部为海水江崖图案，两边以缠枝勾莲纹为对称边，凸现出皇家的威严与华贵。富丽威严的墙毯与高大宏伟的殿堂浑然一体，增强了空间的艺术感染力。

墙毯以红、绿、棕为主体色，整个地毯图案构图比例协调，颜色搭配合理，是皇家外出时蒙古包内使用的墙毯。

太和殿内西侧下肩墙上的龟背纹饰。

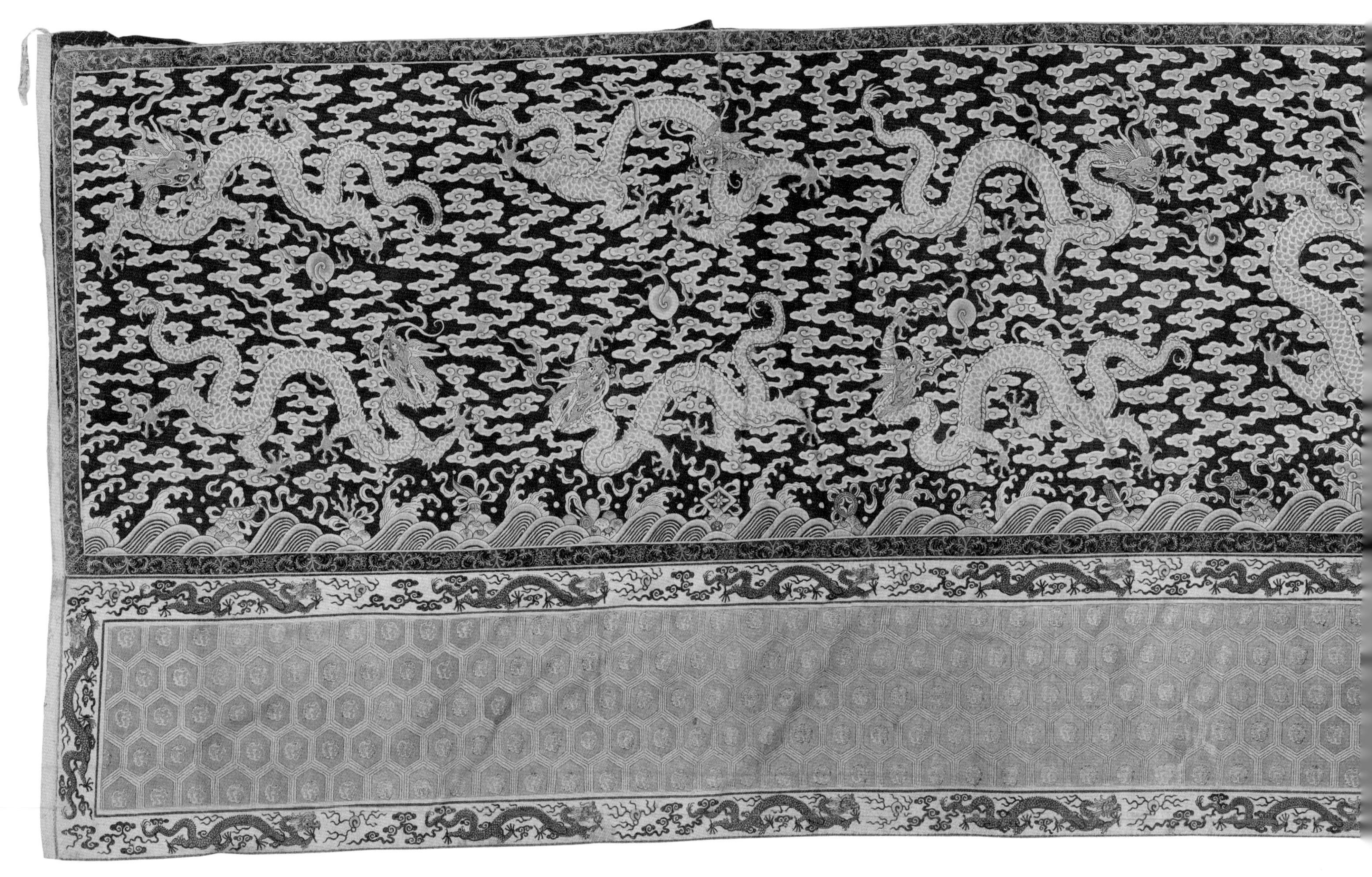

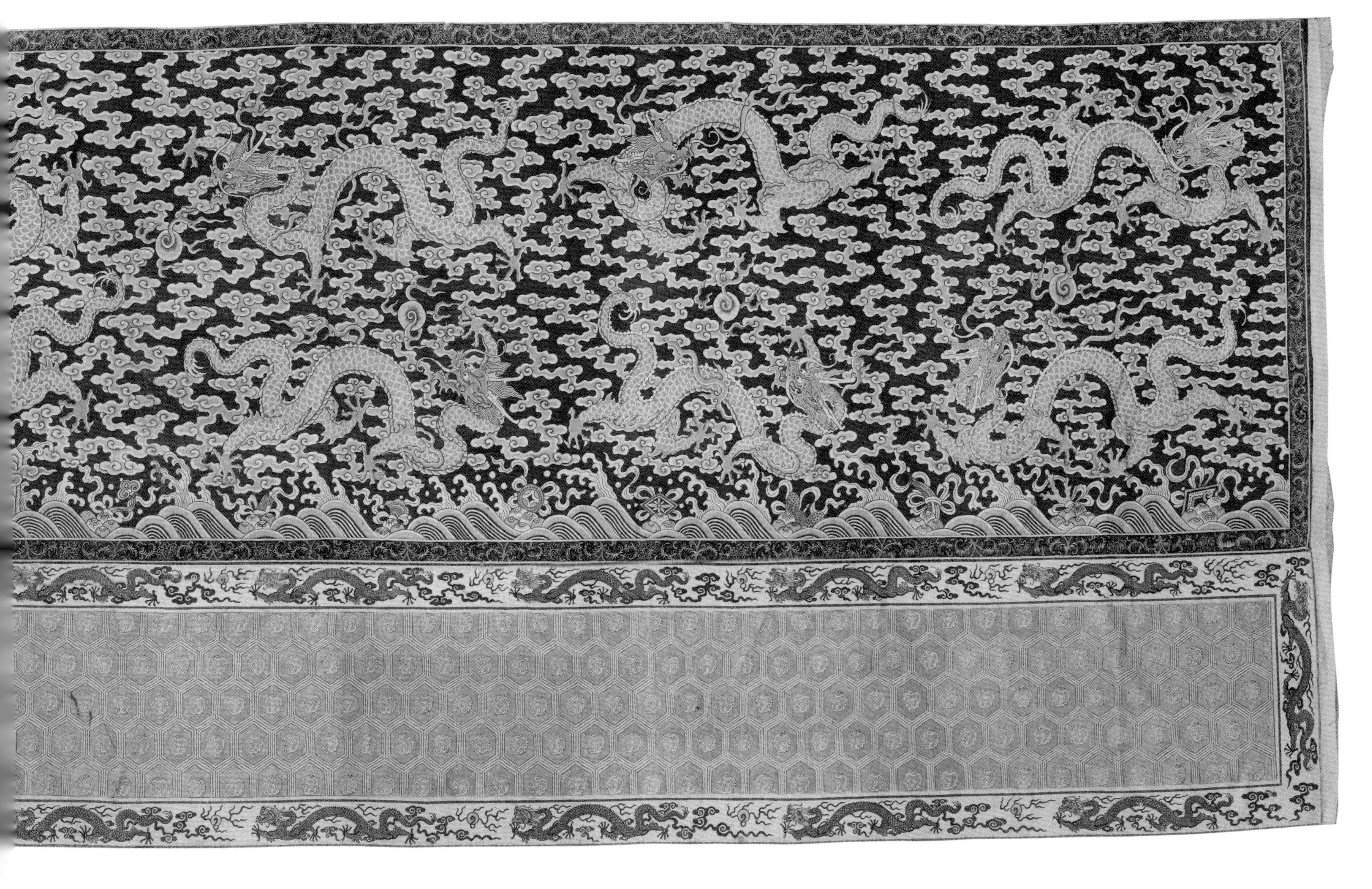

银线边金线地玉堂富贵栽绒壁毯

清乾隆 / 长 647 厘米 宽 278 厘米

绒高 0.3 厘米

北京 / 清宫旧藏

此毯为清乾隆年间宫廷编织的盘金银线栽绒毯。毯基棉经、棉纬、起绒部分为彩色丝线。经纬线均为“S”捻向，“8”字扣头，30.5 厘米内起彩纬九十一道。

毯边左右有黄、白、绿、浅驼四色排穗，中间饰棕黑色边一道，边外银丝辫地，紫红色栽绒地，万字纹图案。毯心主体图案为灵芝、牡丹、翠竹、桂花、石榴、玉兰等花卉，并有蝴蝶二，寓意“玉堂富贵”。毯主体大量使用了金银线盘结丝线，富丽堂皇。

此毯主要用于墙壁装饰，既美观别致又可起到防寒保温的作用。

纳沙洋花壁毯

18世纪 / 长 317 厘米 宽 407 厘米

欧洲 / 清宫旧藏

此毯为欧洲织造的壁毯。这幅地毯的纹样以花卉为主调，格调极其华丽，缠绕的卷草、花卉纹样中间有开光形式的花团紧簇的画面，中心位置上以法国典型的莨菪叶卷草纹和各种花卉纹样组成图案。莨菪叶纹的运用是法国织物图案的特征之一，也是巴洛克时期的主流纹样。莨菪是生长于地中海沿岸的一种低矮植物，它萌发时呈涡卷状，伸展的形态充满生命力的美感，人们将其视为再生、复活的象征。

此毯图案设计巧妙，色调富丽典雅，纹样织做精致，为清代皇宫用西洋壁毯之一。

蓝地万寿山风景栽绒壁毯

清晚期 / 长 1150 厘米 宽 900 厘米

绒高 1.4 厘米

北京 / 清宫旧藏

此毯为清晚期北京民间为宫廷编织的栽绒壁毯。毯基以棉经、棉纬编织，“8”字扣栓头，每两道纬线起一道彩纬。

整毯图案以颐和园的景致为底本，构图运用景物的透视法，比例谐调有序，色彩搭配合理，别致清新。毯边为深蓝色布包边，中间为回纹，两边对称以深蓝、蓝和月白的三晕色线条构图。图案上方为万寿山，山前一排郁郁葱葱的树木，增加图案的立体感。近景有凉亭、长廊、楼阁等颐和园景观，毯下半部分是以昆明湖为背景，湖水波纹清晰，层致有序，给人以清新舒爽之感。

此毯与清代大多数栽绒毯的原料加工不同的是，毛线为机纺线，可见成品在宫中出现甚晚。

清人画《颐和园图》(局部)

廓如亭

蓝地万寿山风景栽绒壁毯

清晚期 / 长 1180 厘米 宽 870 厘米

绒高 1.4 厘米

北京 / 清宫旧藏

此毯为清晚期北京民间为宫廷编织的栽绒壁毯。毯基以棉经、棉纬编织，“8”字扣，每隔两道纬线起一道彩纬。毯编织密度较厚，毯身厚 2.3 厘米，这样的地毯具有质地松软、保温性强的特点。

毯主体图案为颐和园的景致，包括万寿山、昆明湖、长廊、凉亭、龙舟以及山上的树木等，将颐和园美丽的山水景色复制到地毯上面，图案清新别致，在山水之中透露着皇家用毯的高贵。

壁毯边缘不规则的形成，完全是使用中避让墙壁的障碍物所致。

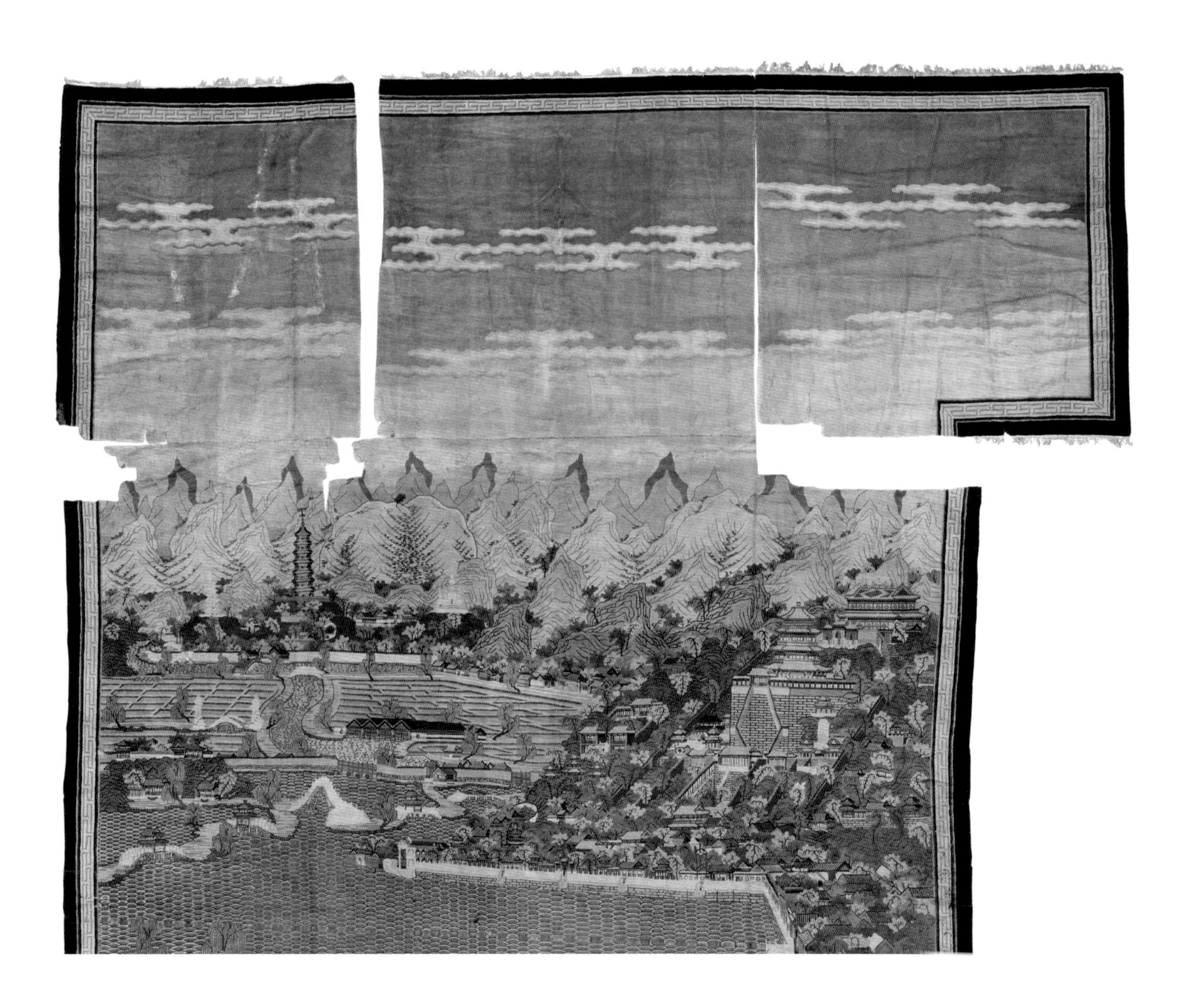

彩地动物纹机织栽绒壁毯

19 世纪 / 长 160 厘米 宽 80 厘米

绒高 0.4 厘米

西欧 / 清宫旧藏

此毯为西欧机织的壁毯。在近代壁毯深受欧洲贵族的喜爱，作为一种艺术品备受推崇。此毯是从西欧国家传入宫廷的胶背挂毯，此壁毯为西方机织工艺，毯背坚厚，美观实用。

毯正面图案是一幅西方水彩画作品，两条充满活力的狗在丛林中奔跑，熠熠传神。画面中的植物清新自然，素雅大气，颜色搭配合理，构图别致，宛如一幅精美的水彩画。

缂丝毛人物挂毯

清中期 / 长 366 厘米 宽 267 厘米

苏州 / 清宫旧藏

此毯为清乾隆年间苏州为宫廷织作的窗户毯。缂丝、毛是一种采用"通经回纬"的织法，以彩纬显现花纹，形成花纹边界，具有雕刻感的丝织品。

此毯为清中期室内缂丝与毛并用的挂毯，专挂在窗户上。用色为黄色，另有蓝、绿、黑、粉等色。毯为两道边饰，最外边为黑色缎包边，内边饰以枝叶浪花连续纹。深色的毛线与浅色的丝线相对比，层次分明。主体图案为"岁朝图"，构图比例协调，图中主体人物突出，符合中国传统画作的特点。室内五十多个人物，各个栩栩如生，一派歌舞升平的气象，窗外景色宜人，与室内生活场景相得益彰。

毯边饰为欧洲一时流行的相框式构图。为壁毯增加了艺术美感，可谓中西合璧式的织作物。

清人物缂丝挂毯毯背面上的挂钩。

西洋人物画。此画边框饰的纹饰与人物缂丝挂毯有异曲同工之妙，可谓是借鉴了西洋画框的纹饰。

白绒里印花毛毡蒙古包帘罩

清乾隆 / 长 540 厘米 高 372 厘米

北京 / 清宫旧藏

此毯为清乾隆年间宫廷织作的毛毡蒙古包帘罩。帘罩系采用擀制的毛毡制作。是皇家蒙古包内隔断用帘罩。其主体为黄色哆罗呢，由于哆罗呢具有质地柔软、着色鲜艳、保温性强、便于携带等优点，非常适合用于移动性的蒙古包，其图案风格杂糅中西。

帘罩边饰以红色西洋花卉图案，主体黄色为帝王色，红色则代表了喜庆祥和。帘罩采用中国传统的内装饰格局，将槅扇、横楣饰于其间，一如宫内居室。帘罩横楣中是宫廷画家钱维城的《花卉图》，两边对称有书法家于敏中书写的乾隆御制诗文，字画相映成趣。横楣两侧为宫廷画家方琮的画作，下方裙板、绦环、牙子是传统的海水江崖图案。突显了满族的特性，使美观和谐的观赏性与舒适保暖的实用性得到了很好的结合。

白绒里印花毛毯蒙古包帘罩背面的挂钩，表现了与蒙古包衔接的方式。

物有家畜必有野牛騾
雞鴨亦同也坰牧之羣
胡不然於是獸中有野
馬阿爾台山高且寒此
獸孳育叢林下蒙古名
之曰塔奇沫ゝ流米汗
飛赭以珠為獸ゝ弗却
不稱其德稱其寡受勒
受鞍可試騎乃知物盡
堪陶冶蒙莊遊氣豈虛
言四蹄揚塵陵谿閈
更傳奇語未前聞曰實
人ゝ曾見者懸峯恐
穿釘鐵掌攻駒可施斯
誰把格物致知有所窮
似此誰能辨矣騾

彩绘花卉纹羊皮挂毯

清光绪 / 长 560 厘米 宽 470 厘米

北京 / 清宫旧藏

此毯为光绪年间制作的羊皮挂毯，在羊皮上面绘制图案。此毯红色地的主体图案为整个挂毯定下了喜庆和谐的基调，上面的牡丹、菊花、荷花等花卉图案，隐含着“富贵”“高洁”之意，花卉之间间杂着小巧精美的如意云纹，更兼灵巧别致与富贵典雅之美。边为两道回纹，上有如意云与蝙蝠图案，寓“如意幸福”之意。此毯整体为暖色地的基调，加上别致喜庆的花卉图案，给人以温馨舒适之感，整个图案有明显的京毯“满地铺花”的风格。

彩绘花卉纹羊皮挂毯背面衬的黄缎里。

彩绘百鸟朝凤羊皮挂毯

清光绪 / 长 490 厘米 宽 560 厘米

北京 / 清宫旧藏

此毯是清晚期慈禧太后当政时期特别制作的羊皮挂毯。百鸟朝凤的主图案符合慈禧女性主政的特点，毯中心的凤立于太湖石之上，暗含着慈禧太后希望长寿之意，两侧的孔雀和小凤凰表现了慈禧晚年祈求天伦之乐的愿望，周边围绕的百鸟有仙鹤、山鸡、鸳鸯、喜鹊、斑鸠等，既突出了凤百鸟之王的地位，又有长寿、美丽、幸福的寓意，充分迎合了慈禧作为一位高龄女性统治者的心理。在百鸟之间，大量的牡丹、莲花、菊花、梅花等置于其中，既丰富了图案本身的艺术效果，使之更加饱满自然，又增加了富贵、高洁等象征意义。

明天启年版画《万壑清音·萧太后点火》中的毡帐内壁毯与帷幕。

清人画《弘历阅贯跤图》（右图局部）中蒙古包内的浅粉色地缠枝莲纹平纹壁毯。

其他类毯

苑洪琪

清代宫廷用毯，除地毯、壁毯、炕毯外，尚有许多针对具体使用而特制的不同类别及用途的各种毯。如皇帝、后妃们日常起居生活中的宝座毯、宝座床毯、桌毯、椅毯、凳毯、戏台毯；宫廷祭祀用的供桌毯、拜毯；皇帝外出巡幸用的轿毯、车毯、马鞍毯以及皇帝大婚的专用毯等。

一、宝座毯

包括靠背毯、脚踏毯。在紫禁城里主要宫殿的明间，都设有宝座、屏风、宫扇、蜡台、香筒等一套礼仪性陈设，是居住该处主人接受请安、祝贺等礼仪活动中受礼而备的。摆在正中位置的是象征居住者身份、地位的宝座、脚踏，上面的座垫、靠背、脚踏垫等铺设的毯亦有颜色、纹饰的区别。在皇帝举行政务活动的太和殿、中和殿、保和殿、乾清宫用的是髹金漆雕龙纹的宝座，龙纹的座垫、靠背和脚踏垫。东、西六宫属于内廷后宫，所用宝座纹饰多样，宝座毯多为“龙凤牡丹”“四合如意”“福寿三多”“富贵花卉”等吉祥纹饰。宝座上的座垫、靠背，根据季节变化更换不同的质地。春、夏两季，为苏州的刺绣、南京的云锦；秋冬季节，则换上羊毛栽绒毯、绛毛毯及漳缎、漳绒、哆罗呢等保暖、厚实的垫套。刺绣、云锦、哆罗呢等垫套是用材料剪裁、加工缝制而成，羊毛编织的栽绒毯、绛毛毯及漳缎、漳绒等，则要预先按照宝座、靠背的形状、尺寸设计图样，再按图样织造。宝座毯坐面呈长方形，靠背为“山”字状。图案设计不受形状、尺码的影响，两件套为一系列整体。故宫博物院现藏“明黄地正龙栽绒宝座靠背毯”是一套宝座毯的例证，其纹饰以正龙为主，边纹为云龙、海水江崖，五彩流云环绕四周。尤其是毯的细部装饰，按照凸凹起伏的形状编织出曲线自如的边缘，规整而不失生动。宝座毯、靠背毯纹饰相互连贯、上下呼应，与殿堂内的雕龙藻井、龙纹天花、龙纹殿柱浑然一体。

脚踏是放在炕前或椅前长方形的垫脚木凳，铺在其上的毯子名为脚踏毯。其功能具有保护脚踏木面、踩踏脚感舒适外，更多的是美化环境，与宝座、宝座床等座具相匹配。如“栽绒回纹脚踏毯”，在颜色上与宝座毯保持一致。但是在寝宫炕下、桌下的脚踏毯，则可随意织做。宫内脚踏毯多为毛织平纹花毯、哆罗呢印花毯和栽绒毯等。前两种为材料剪裁缝制，蓝布挂里、四周沿黄缎边或石青缎边；栽绒毯则是依据脚踏面的尺寸特织的。

清郎世宁等画《亲蚕图》（局部）中的靠背毯。现故宫收藏品中的靠背栽绒毯与之极为相似。

明人画《姚广孝像》（局部）中的包边毛毡红色脚踏毯。

二、宝座床毯

宝座床是清宫内特定环境中满足皇帝实用要求的一种御用坐具，大多设在皇帝生活起居的宫殿，小于寝床而大于宝座。清入关之前，生活在无霜期短的东北，一年有八个月的时间坐卧在温暖的火炕上。因此，无论是皇宫还是御苑，盘腿坐在宽大的宝座床上读书、写字成了清代皇帝特有的起居方式。宝座床正中或设坐褥和靠背，或单设座褥，都是皇帝御座的标志。宝座床为木制，上通铺毡、毯。毡为羊毛本色擀制，或染成单色、黄地押印红色花纹，亦称“猩猩毡”。毡上再铺床毯，其多为薄型花毯，用蓝色棉布作里，边缘镶有明黄色或石青色缎边。花毯上设置座毯和靠背毯，其作用如同宝座毯的功能。宝座床上铺设什么颜色、纹饰的毡、毯，皇帝往往都有明确的旨意。如乾隆三十五年（1770年）十月二十五日，乾隆帝下旨：将圆明园淳化轩东暖阁大宝座上铺花毯，“先挑花毯呈览”。第二天，“库掌四德、五德为成做淳化轩东暖阁大宝座上花毯，挑得内库红底黑花毯一块持进，交太监胡世杰呈览”。奉旨：“淳化轩东暖阁大宝座上准用此花毯成做。再，淳化轩所有现铺红毡的宝座床，俱铺洋花毯，先将尺寸量来挑花毯呈览。”十一月初十日“太监厄勒里交黄地红花猩猩毯一块，系养心殿后殿换下”。乾隆帝再次下旨：“着估料，在淳化轩铺床用。再将现设之床无铺猩猩毯者著满铺猩猩毯。”[1]

在宝座床铺设的毡、毯，不仅突出了色彩庄重、纹饰典雅，更要经常更换，保持清洁卫生。如乾隆四十六年（1781年）七月十九日，乾隆帝下旨：“烟波致爽明殿宝座并东暖阁大宝座床上，现铺红猩猩毡俱糟旧，着另换红猩猩毡。”[2]

三、拜毯

拜毯与皇帝的宗教生活密切相关。清代皇帝尊儒学、礼佛道、信奉萨满教。无论是皇宫大内的帝后居所，还是园囿众多的殿宇中，都设有宗教活动的场所。就连外出围猎途中的行宫，或临时搭建的蒙古包等居处，也设有专用于礼佛的佛堂。皇帝每天背诵经书、拈香作佛事，拜毯就成了佛堂极为重要的设置。拜毯呈正方形（70厘米见方）或长方形（70×90厘米），有素色的，也有带图案纹饰的；有薄型的西洋哆罗呢，也有厚重的栽绒毯，还有西洋印花毡、素色洋毡、素色毡毯等。有用材料裁剪加工缝制的，也有旧毯改制的。乾隆三十五年（1770年），太监厄勒里交花毯两块，乾隆帝便传旨：“着沿布里，做拜毯两块，得时交圆明园关帝庙一块，旧园一块。钦此。”[3]

栽绒拜毯的纹饰图案，是与佛教内容有关的吉祥图案，如八宝八仙、缠枝莲花、宝相花为毯心，以常见回纹、丁字纹、万字及忍冬、唐草等作毯边装饰，但颜色是皇家特有的专色——明黄。现存“栽绒黄地万字拜毯”“黄色哆罗呢拜毯”等，或在黄色的底色上押印紫色花卉、黄地押印红色花卉。拜毯是铺在地毯的上面使用的，圆明园“大报恩严寿寺大雄宝殿中间地铺红地栽绒花毯一块，黄花边红地黑花心拜毯一块”[4]，就是其典型的一例。

清代皇帝在重大的佛、道、萨满等祭祀活动中，都要在拜毯上虔诚施礼。拜毯尺码不大，但身为九五之尊的皇帝跪拜其上，摒去帝王威严外，使他在这特殊的时间里与周围的尘世隔离，心灵得到短暂的休息，正是拜毯的特殊功能所在。

四、供桌毯

清代宫廷的佛堂、道殿等祭祀场所摆放神像、供器、供品的长桌称“供桌”，供桌上铺设的桌毯，既能起到防尘、洁净的作用，又可减少桌面与佛龛之间的摩擦，对供物的摆放有着良好的稳定性。桌毯多为单色的红、蓝、黄色的哆罗呢，也有少量的印花哆罗呢。如“黄地印红花哆罗呢毯”“黄地印紫花哆罗呢毯”，即是清代帝后小佛堂使用的。现存的供桌毯中，有一件“黄地紫色花卉哆罗呢毯”，背面写有“元旦日供奉贵神、福神、财神”等字样的签条。由此可知，宫廷元旦日亦与民间一样，不仅有吉时迎接“吉神”，还有用供桌摆供品的习俗。一件供桌毯的颜色、纹饰在当时可能营造出静谧、肃穆的效果，但它保存至今，对了解宫廷文化信息极为重要。

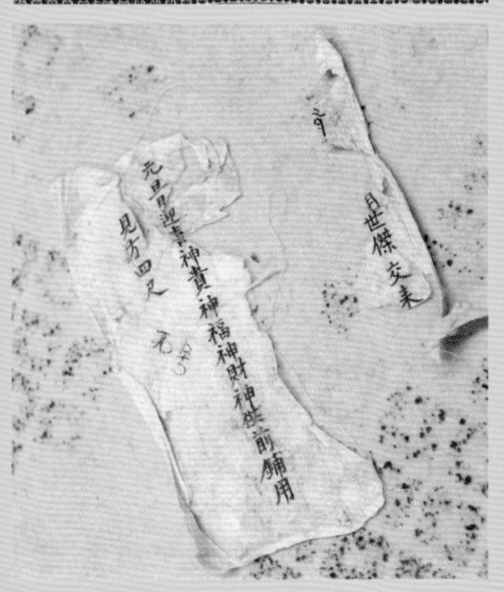

清人画《弘历马箭图》（局部）中的哆罗呢印花床榻毯。床是清宫卧具之一，铺陈同寝床，在用毯上有哆罗呢印花毯，有栽绒花毯等。图中的乾隆皇帝坐于床榻上，可见宫廷用床榻毯之一斑。

杏黄色地印花哆罗呢桌毯。

黄地印紫花哆罗呢供桌毯中的纸签。白纸签墨书的内容反映出宫廷祭神摆放神桌时，要铺用毛制桌毯的情况。

清人画《弘历威弧获鹿图》（局部）中的黄地花卉纹马鞍毯。

五、马鞍毯

清代皇帝将骑马作为体现民族特征和不忘先祖创业的传统。康熙、乾隆两帝经常外出巡行，出入皇城，一定要骑马行进。出城之后，才改乘车、轿。尤其康熙、乾隆两帝，对“骑射武功”异常热衷。他们几乎每年都到木兰等围场举行秋狝，亲自披甲佩箭，跃马驰骋。好马配好鞍——清代宫廷画家郎世宁等绘制的《乾隆大阅图》《马术图》《丛薄行围图》等，都有细致的马鞍具的描绘。清代皇帝的马鞍有金、银、珠、宝各种装饰，马鞍毯也格外讲究，用耐磨、厚实的栽绒毯或用哆罗呢做面。上述乾隆帝的画像中都将马鞍毯描绘得十分精美。这并非画家刻意着笔，而是清宫马鞍毯的真实写照。因马鞍毯珍贵，清代皇帝除自己使用外，还用其赏赐获猎物多的王公大臣们。乾隆五十一年（1786年）十一月初七日武备院因赏赐的马鞍毯之事呈报乾隆帝：“本库原存赏用鞍十八副，因历年热河园赏用外，现存十副，恐不足用，是以呈明。将本库现存栽绒鞍二十块、行文造办处配做赏用鞍二十副，俟明年皇上热河园以前送交本库以备用等……”[5] 无论是皇帝自用还是赏用，都表明马鞍毯是清宫日常的必备之物。

清张恺画《升平演乐图》（局部）中的浅杏黄地花卉纹栽绒地毯。依使用功能专铺于戏台上的毯子，可称之为戏台毯，清代皇家苑囿多处设戏台，台上必铺地毯，以供演员唱、念、做、打以及翻筋斗等表演。

六、摔跤用毯

清代皇帝热衷举行木兰秋狝活动。秋狝期间，往往都要观赏蒙古人的赛马、摔跤、演奏、套马等活动，这就是有名的“塞上四事”。在活动中，摔跤手身着专用的服装表演，对获胜者赋予荣誉性的名次。同时，对赛场的环境也很讲究，诸如选择开阔的场地、铺设地毯等。摔跤用毯多选用厚实、有承重力的栽绒毯，以防止表演者磕碰受伤。毯中构图，也是多以铺用的场合相吻合，有的表现出动感的画面。清宫藏《塞宴四事图》轴中摔跤毯就是其典型的一例。

七、戏台毯

看戏是清代宫廷娱乐生活的重要内容之一。戏曲表演的四种艺术手段“唱、做、念、打”，其中“打”即是戏中武打部分，诸如翻筋斗、摔抢背、窜扑虎、吊毛等精彩动作，都是在厚厚的地毯上完成的。而演员跌扑技巧的基本功，更是在地毯上训练，素有“毯子功”之称。清代皇宫、圆明园、避暑山庄、颐和园等处，设有规模不同的戏台，台上都铺设戏台毯。在清代热河档案中明确记载了热河大戏台、看戏楼铺设戏台毯的情况：“大戏台铺用青毡二十块、各长一丈五尺、宽一尺。热河看戏楼内应行铺设需用白毡四块，内一块长二丈二尺，宽四尺一寸。红毡四块，内一块长二丈二尺，宽四尺寸。”[6] 清代大戏台上铺设缠枝莲花毯，戏台毯有栽绒毯、毡毯等，主要取其实用性，即毯面要具有相当的厚度，或两层毯叠落或毯下铺棕毯、棉垫等物。

八、门帘毯

清宫内，夏用竹门帘，冬用门帘毯。每至秋冬时节，各处殿堂及帝后寝宫的都要挂保暖、轻软的门帘毯。门

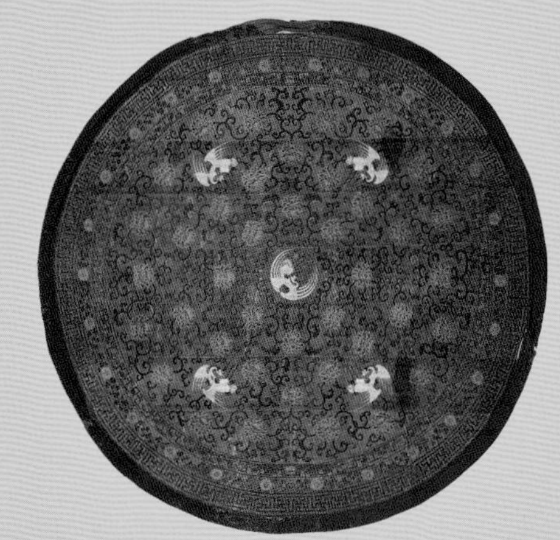

清金昆、程志通、福隆安合画《冰嬉图》（局部）。图中冰床内部挂里、外壁帷子均用哆罗呢，包围座位上设置哆罗呢绣花座垫，地上铺栽绒毯，冰床门上也挂栽绒帘毯。

杏黄色地万字边五鹤莲花漳绒圆地毯。皇家蒙古包内通常依季节或特殊活动而择用地毯。莲花鹤纹的地毯，是皇帝万寿节、皇后千秋节时铺用的地毯。

帘毯用红哆罗呢做面，月白色绸做里，边镶石青色哆罗呢。为增加门帘的牢固程度及方便悬挂，在帘的顶端、中间和底部分别饰竹制帘板（又称"合竹"）。如雍正三年（1725年）十月十一日据圆明园来帖内称，"太监刘希文传旨：'九州清晏碧纱橱上添做花猩猩毡面、红猩猩毡里、黄缎沿边帘子三架，上钉大黄铜镀金钮子三十个，背后钉宽三分绦子六根，上下用合竹包镶。钦此。'十月十七日做得挂讫。"[7]雍正十三年（1735年）养心殿造办处皮作向皇帝呈上一件"长五丈四尺、宽三尺八寸的红面蓝里毡"，雍正帝看后旨曰："将此毡交海望，与朕住处做帘子用，其帘板做竹子的。钦此。"[8]到乾隆年间，宫内门帘毯的使用更加普遍。如乾隆五十七年（1792年）九月初二日，太监常宁传旨："奉三无私殿前后门毡帘两架，九州清晏殿正门毡帘一架，纯化轩前后门毡帘两架，含经堂前后门毡帘两架俱各糟旧，另换做石青缎边红猩猩毡心共七架仍用旧帘板，其应用猩猩毡石青缎月白绸里向内库挑用。"[9]

门帘毯还用在暖轿上。清宫帝后夏乘凉轿、冬乘暖轿。其暖轿挡风帘，多用栽绒毯。清末"甘肃劝工局"编织的"栽绒龙凤轿毯"，是其典型的一例。轿毯按照轿子进出口宽度尺寸编织，在长度上加大，留出衔接轿口顶部系扣的部分。特别值得一提的是，这件成做于清代晚期的轿帘毯，采用的是传统的"龙凤呈祥"图案，但为迎合慈禧太后权力欲望，改变了以往龙在上凤在下的构图顺序，出现了前所未有的"凤在上、龙在下"的变化。

冬季宫廷娱乐有乘冰床的习惯。冰床为高棚的轿式船，船底安装冰刀。冰床在冰上借助外力的推、拉，在冰面上行进。金昆等绘《冰嬉图》中就有冰床的描绘。因冬季寒冷，冰床内壁挂里、外壁帷子均用哆罗呢，座位上设置哆罗呢座垫，内底铺栽绒毯，冰床门帘挂亦栽绒毯。

九、蒙古包用毯

蒙古包是游牧人的居室。元代宫廷曾建造宫殿式的蒙古包。包内宽敞，可容纳数千人，绣楣彩绳，十分壮观。清代皇帝外出巡幸、狩猎及举行重大活动时，也搭建毡帐和蒙古包，"盖满洲旧俗，遇巡幸行围驻跸之处，向俱携带毡庐帐房，随处支立行营。"[10]乾隆皇帝曾在热河万树园御幄蒙古包中欢迎和宴请少数民族首领和外国使节。清代元旦后宴请蒙古、回部、番部年班入觐的王公贵族，也常在保和殿、中正殿、抚辰殿等举行蒙古包宴赏活动。蒙古包易于搭建与拆除，具有很大的流动性、简易性，可满足清宫廷不同场合、不同性质活动的进行。这些蒙古包的搭建，是依托各种毯子得以完成的。因此，蒙古包用毯，在一定的程度上，反映出清宫用毯的特色。

清帝“御幄”用黄色毡，大臣的“蒙古包”用青色毡。蒙古包用地毯，分内、外铺设。蒙古包内铺设的地毯形制有长方形、也有依蒙古包内直径而铺设圆形的。质地有栽绒毛毯、毛麻混纺的平纹毯、纯羊毛擀压而成的厚毡毯，及漳绒毯。其纹饰依活动内容而变化，如年节及喜庆的日子，内铺龙纹、缠枝莲纹的地毯；皇帝的万寿节、皇后千秋节，则铺设有鹤纹的地毯，以示长寿。在蒙古包外铺设地毯，是指铺在进出口处而将地毯露于包体外的用毯形式，这种铺设法多依朝廷举行特殊活动所为。这类用地毯的图案的象征性极为鲜明，通常与参与活动中人员的特殊民俗风情、宗教信仰及其皇权神圣等因素，或独立、或相互交织，在地毯中得到表现。蒙古包的外用地毯比内用地毯更为考究。蒙古包用地毯的情景，可依当年清宫任职的西洋画家郎世宁等人，以写实的手法绘制成《万树园赐宴图》得到印证。又经查证，现藏品中由宁夏编织的“白地菊花边狮子滚绣球栽绒毯”，即是乾隆帝“御幄”门前铺用的地毯。

蒙古包内的隔断毯，是毯中的精品。在蒙古包内设宝座，需将毡帐内分割前后。其隔断有壁毯、围墙毯和隔断毯等多种。如档案记载，雍正年间曾在乾清宫西丹墀搭建板房，内设羊皮帐子一架、白氆氇围墙两分。雍正九年（1731）十一月初五日皇帝下旨：“乾清宫西丹墀下拐角板房东一间羊皮帐内，原安设床移在前边安设，后边添座床一张，两边安牌插。皮帐中间做一口角门，二面羊皮帐隔断，其隔断上两边各开一方窗，衬纱。床上铺氆氇。两边皮帐上开一玻璃窗，对玻璃窗板墙开一方窗。”[11]

现存“白毡里黄地紫花呢镶绫蒙古包隔断毯”是用于毡帐内的，其作用类似宫殿内的槅扇花罩。黄色哆罗呢底色上印着石榴和缠枝莲花，红地黑花的哆罗呢镶边。隔断开三座门口，两侧门低于正中门口，为随墙开门不施装饰。正中门口附白绫绘画的横眉与落地花罩，裙板、绦环形象逼真。横眉、落地花罩上字、画相间，字为于敏中撰写的乾隆帝御制的“野马”诗与“气候”诗；画是钱维城的彩绘《秋菊图》。

清宫其他类用毯，可分一般性与特殊性两个方面，取决于朝廷特殊活动或殿堂。一般性用毯，见于皇帝书房、窗户毯、门帘毯、马鞍毯、桌毯等等，宫内尚无严格的质地、花纹、色彩的规定，以满足实用性为主要目的。但在特定的场合、特殊的活动中，根据宗教特点、民俗风尚等众多因素，合理使用不同类型、颜色各异的毯。诸如佛堂内用地毯、拜毯、桌毯，是遵循藏传佛教贵黄色的原则，选用黄地色。此外，帝后寝宫用座毯、轿帘毯等，从花纹、色彩、工艺、用料等，多见特色。

注释

[1] [2] 中国第一历史档案馆编:《圆明园 · 皮裁作》，页 1486。

[3] 中国第一历史档案馆编:《圆明园 · 皮裁作》，页 1486。

[4] 朱家溍编:《明清室内陈设》。

[5] [6] 中国第一历史档案馆编:《清宫热河档案》，第三册，中国档案出版社，2003 年。

[7] [8] [9] 朱家溍选编:《养心殿造办处史料辑览》第一辑，雍正朝，皮作雍正三年十月十一日。

[10]《清仁宗实录》，卷四十五，中华书局，1986 年。

[11] 朱家溍选编:《养心殿造办处史料辑览》第一辑，雍正朝，雍正九年。

清喻兰画《仕女清娱图册》中的白地花卉纹栽绒地毯。

清人画《平定伊犁回部战图册》（右图局部）中蒙古包前铺设的白地双龙花卉纹栽绒地毯。

黄地回纹边四合如意八方万字栽绒地毯

清早期 / 长 315 厘米 宽 24 厘米

绒高 1 厘米

北京 / 清宫旧藏

此毯为清早期北京官方编织的栽绒毯。毯基为丝经、棉纬，经纬线均为“Z”向捻，“8”字扣，每过两道纬线起彩纬一道，用深蓝、月白、明黄、浅蓝、黑色、姜黄等颜色。

地毯边饰以回纹，毯四角云纹与中间的八面形，寓意“四方向化”，象征着皇帝对国家的统治。此毯用料上乘，结构细密有致，图案沉稳明晰，构图严谨规范，色彩厚重大气。此毯是铺于太和殿宝座下的地毯。

太和殿宝座下铺设的黄地回纹边四合如意八方万字栽绒地毯。

杏黄地蓝方格锦纹圆形栽绒地毯

清早期 / 直径 466 厘米 绒高 0.5 厘米

宁夏 / 故宫博物院藏

此毯为清早期宁夏编织的栽绒地毯。毯基为棉经、棉纬，经纬线均为“Z”向捻，“8”字扣，每两道纬线起彩纬一道，用杏黄、深蓝、浅蓝等颜色。

此毯为圆形，是专为蒙古包织制作的地毯，其周围以青色棉布包边，以免毯边脱绒。毯内主体花纹是宁夏传统的几何锦纹，菱形图案连续交错，布局协调，规整有致。毯以颜色来表现纹样的立体感，浅色均匀，深浅对比突出，是清初宁夏地毯的典型代表作。

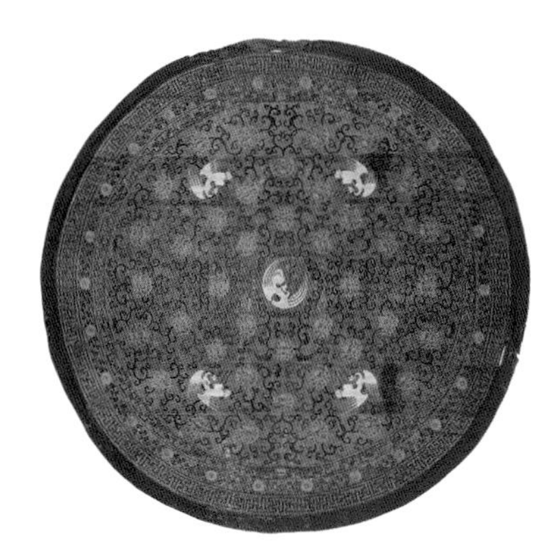

黄地万字边五鹤莲花漳绒圆地毯。

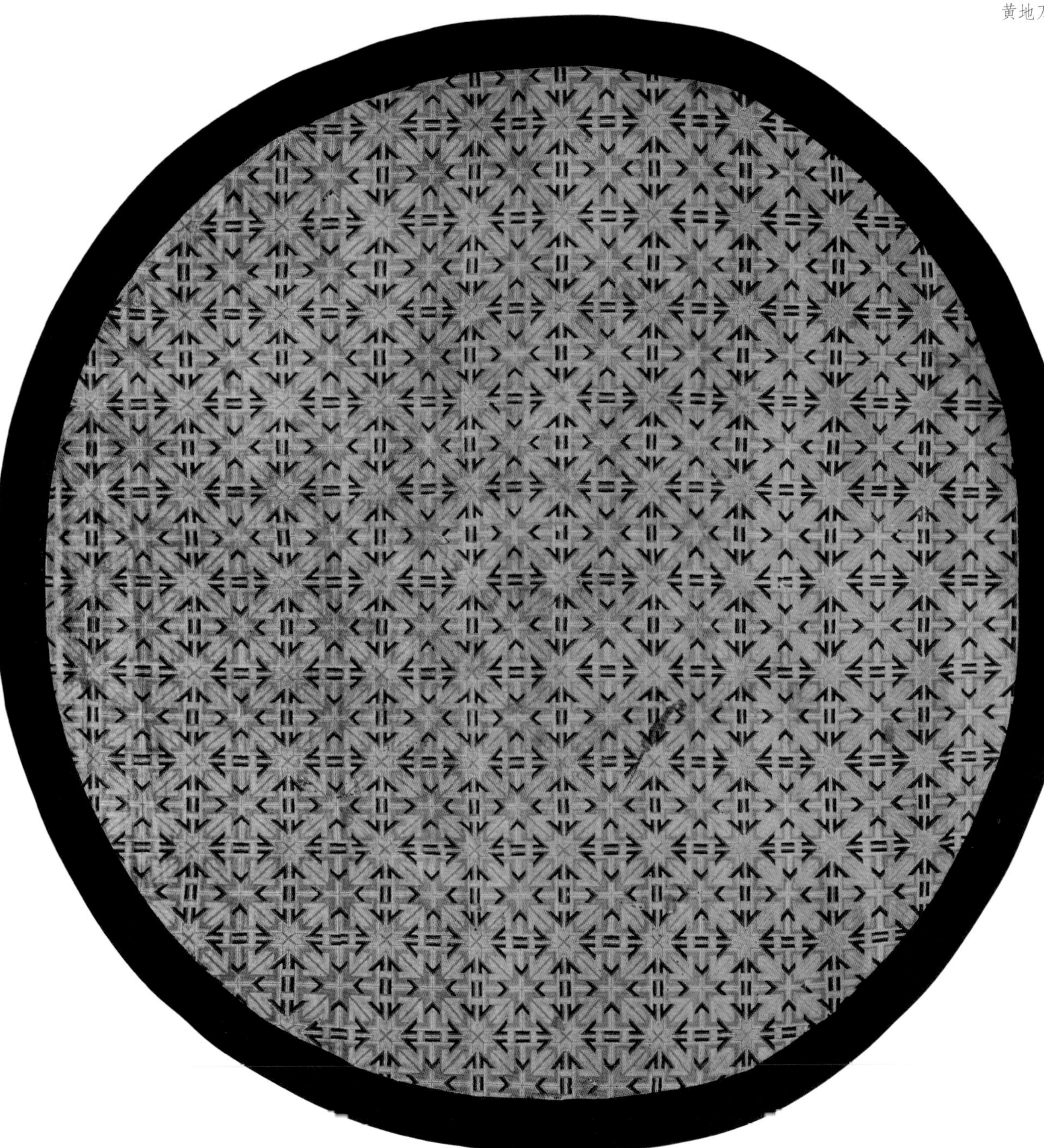

黄地印花机织哆罗呢桌毯

19 世纪早期 / 长 209 厘米 宽 206 厘米

西欧 / 清宫旧藏

此毯为西欧机织的哆罗呢印花毯。十九世纪初期采用“滚筒印花”技术印制的花毡，“滚筒印花”技术是近代欧洲印染史上的一大突破，改变了颜色纹饰单一的弊端，使图案更加灵活丰富。在印花时织物与印花衬布相叠，相继经过各只花筒和承压滚筒之间的轧点印上花纹并烘干，然后根据色浆中染料的性质进行固色或显色，最后将织物洗净烘干。早期只能够印制出双色图案，诸如黄地红花、红地黑花等。此毯为三种颜色，即图案主体红色与地色褐色相得益彰，层次突出。毯主体四角是卷叶纹，中心图案为蓝色菱形花卉，内有小花卉围绕着一组太阳花，花卉富丽自然，大气脱俗。四道边饰为灰色连续花卉纹和几何纹，层次分明有序，搭配协调自然，是清宫美观的毛呢桌毯。

黄地回纹栽绒脚踏毯

清中期 / 长 67 厘米 宽 36.5 厘米

绒高 1.2 厘米

宁夏 / 故宫博物院藏

此毯为清中期宁夏编织的栽绒脚踏毯。毯基由棉经、棉纬编织，经线“S”捻向，纬线“Z”捻向，“8”字扣，毯心厚实，结构紧密。毯背覆大红色麻布，可降低经纬线的磨损程度。

毯正面有黄色花卉绸缎包边，边饰以连续几何纹。毯主体图案为花卉，以宁夏传统的“格律体”构图，两端对称四枝小花卉，中间为万字团花纹饰。整个纹饰构图协调，色彩搭配有序，纹饰自然雅致。图案大量采用二晕色的配色法，层次分明，增加了该毯的艺术效果。

黄地海水龙纹栽绒靠背毯

清晚期 / 长 180 厘米 宽 88 厘米

绒高 0.8 厘米 穗长 3 厘米

宁夏 / 清宫旧藏

此毯宁夏为宫廷编织的栽绒毯。毯子为靠背毯之属，毯基经纬均为棉线，经线“Z”捻向，纬线“S”捻向，起绒部分为彩色羊毛纱，以“8”字扣拴头，两道纬线起一道彩纬，采用抽绞方法编织，毯身较厚。用明黄、蓝、深蓝、木红、月白、棕色等颜色，明亮鲜艳。

靠背毯下部座垫以海水江崖围绕四周，中间图案四条龙围绕一正龙，另有火珠、如意云纹等。毯的山字形靠背四周饰以佛家八宝，下部为海水江崖和如意云纹，主体图案为正龙与二龙戏珠，三角形的图案排列也符合靠背的特点。

黄地蓝边龙凤纹栽绒轿帘毯

清晚期 / 长 192 厘米 宽 85 厘米

绒高 1.2 厘米

甘肃 / 清宫旧藏

此毯甘肃为清宫编织的栽绒毯。毯子是帝后乘坐轿子的轿帘。毯基以棉经、毛纬编织，经纬线均为“S”捻向，起绒部分为彩色羊毛纱，30.5 厘米内有 93 道彩纬，“8”字扣，毯结构细密，毯厚绒长，可防风保暖。

此毯颜色艳丽，共有明黄、朱红、大红、粉红、米色、白色、黑色、果绿、茶绿、月白等十六种植物染色，各色搭配合理，大量使用晕色法以增加图案的艺术效果。毯有三道边，外为蓝色素边，内为莲花与八宝纹，最内饰回纹。毯心以龙凤呈祥图案为主体，辅以琴棋书画，颇为雅趣。帘下部为海水江崖图案，整个构图疏朗、色彩浓艳。

由于地毯毛纱完全为化学染色，所以影响了地毯的美感。毯子保暖性强，适用于冬季。帘毯上有“甘肃劝工局恭制”的字样，说明此毯是晚清洋务运动企业的产物。

清金昆、程志通、福隆安合绘《冰嬉图》（局部）中的轿帘毯，就是挂在形如轿子的冰床前面遮风挡寒。

黄地蓝团龙纹栽绒马搭毯

清晚期 / 长 196 厘米 宽 100 厘米

绒高 0.8 厘米

宁夏 / 清宫旧藏

此毯宁夏为清宫编织的栽绒毯。毯子为马搭毯之属，绒高 0.5 厘米，经纬线均为棉质，每根经线由两股纺线捻成，每根纬线由三股纺线捻成，捻向均为“S”向捻。每 30.5 厘米起纬 86 道，毯厚度 7 厘米，结构细密。

毯主体图案为四角各一小龙，且两端呈二龙戏珠纹样，中间为一正龙，代表了马搭毯皇家专用的特性。龙纹均采用二晕色的配色方法，图案清晰而色彩柔和。毯正面布满大量的黄色丝线穗，可防止骑马时滑落，具有美观实用的特点。

清郎世宁画《乾隆大阅图》中的红地五彩云龙纹马搭毯。

马鞍与黄地团花纹栽绒马鞍毯。

黄地绿团龙纹栽绒脚垫毯

清晚期 / 长 196 厘米 宽 71 厘米

绒高 0.3 厘米 穗长 2 厘米

新疆 / 清宫旧藏

此毯为清晚期新疆编织的栽绒毯。毯子为脚踏毯之属，是以清代新疆传统织毯工艺编织而成的，毯基以棉经、棉纬编织，经纬线均为“S”捻向，起绒部分以彩色丝线拴“8”字扣，毯结构密致，层次匀称，舒适保暖。此毯采用化学染色，颜色明快鲜亮。

毛毯正面图案四角各有一团如意云纹，中心龙代表了皇帝的尊位，龙身缠绕着火珠、如意云纹等，寓意“吉祥如意”。龙身为绿色，龙角黄色，造型相对自由化，整体图案明快清新。

此毯可从中间分开，两部分各自独立使用。脚垫毯非为宝座前或床前下设的脚踏上用毯，而是直接铺于地面上供踩踏的毯子。

紫红地花卉纹机织栽绒桌毯

20 世纪 / 长 180 厘米 宽 136 厘米

英国 / 清宫旧藏

此毯为英国机织的毛毯。美术式的毛毯选用宝蓝、浅蓝、白、粉红、红、绿、浅绿、灰、藕荷、黑等颜色组成花卉图案。毯心图案有明有暗，中心一簇团花在深色背景和其他花纹衬托下形成一个明媚的中心，具有象征意义。

此毯绒毛平整,光滑,色彩鲜明,对比强烈，具有很强的装饰艺术，是清宫用桌毯之一种。

清丁观鹏画《宫妃话宠图》中的浅蓝地锦纹石凳毯。

清人画《万树园赐宴图》（右图局部）中蒙古包内铺设的香色地花卉纹地毯。

技法

刘宝建

本节技法，是以清宫铺用的众多类毯中的栽绒、毛呢织品的工艺为线索，略去具体用途，主要分析其工艺技巧。在此基础上，以使读者了解、认识有关清代毛毯编织术的变化与发展。

一、栽绒毯工艺

栽绒毯是指将毛或丝织入地经、地纬中，然后将其砍断，使丝、毛绒直竖，宛如栽植而故名。栽绒毯分为手工与机制两类，机制诞生于十九世纪，在此前均为手工织作。清宫栽绒类毯中，除清末少量西方机制毯外，其大部分均为手工织作。其工艺大致涉及四方面：

1. 栽绒毯结构

手工栽绒毯的组织结构分为毯基、栽绒层、衬边及穗头。毯基是毯的骨骼，由经纬网、栽绒根结构成。栽绒层是由栽绒结伸出毯基外的毛纱成的绒层部分，即是在经线上拴绒头的过程。衬边是指毯两端以棉线，或丝线织成平纹组织的部分，其作用是牢固毯边与美化毯形。穗头也称之为毯穗，与衬边外缘相连。毯穗在毯中有着双重作用，牢固衬边与增加整毯的艺术性。在这些组织结构中，工艺技巧主要表现在的毯基中的经纬网与栽绒层部分。

栽绒毯结构图。表现了手工栽绒毯的组织结构分为毯身、衬边、穗头。

织作栽绒毯的变绞棒工具。

2. 传统编织的特点

在封建社会以"自产自足"为主要经济结构中，直接影响到地处西北的游牧民族，在编织栽绒毯的工艺技巧上，诸如抽绞、拴扣、边经、过纬线等，自成独立体系，因而形成明显的地域特征。下面，笔者仅以宁夏、蒙古、西藏、青海、新疆、甘肃、北京等的编织物为例，对各工艺技巧试做分析。

变绞

栽绒毯是经线起绒的织物，挂经线时分前后两排，一般每打一排栽绒结，需过两行纬线，用以固定栽绒结，在过纬线时，需要再变绞才能固定绒头。清代各地手工编织的栽绒毯，变绞时一律为抽绞法，故名抽绞毯。所谓抽绞毯，是指编织过程中，前后两批经线开口打栽绒结（栓头），不变绞，过粗纬，再拉下绞棒，使原来的后批经线提到前面来，再从绞点上过一道纬线（清代栽绒毯中，大多经纬线无粗细之分）。抽绞毯的称谓，是相对1924年以后在天津改进工艺后出现拉绞毯而言的。[1]

拴扣

世界上的手工栽绒毯，就拴扣的方法主要分为土耳其扣与波斯扣两种，其中波斯扣因形似"8"字，故又称为"8"字扣；土耳其扣形如马蹄，又名马蹄扣。但笔者根据中国古代文献记载、考古发掘及现有藏品考察、分析，得出中国栽绒毯的拴扣方法远不止这两种。兹举下列几例：

"U"字扣是中国早期栽绒毯的拴扣法。这种扣拴结

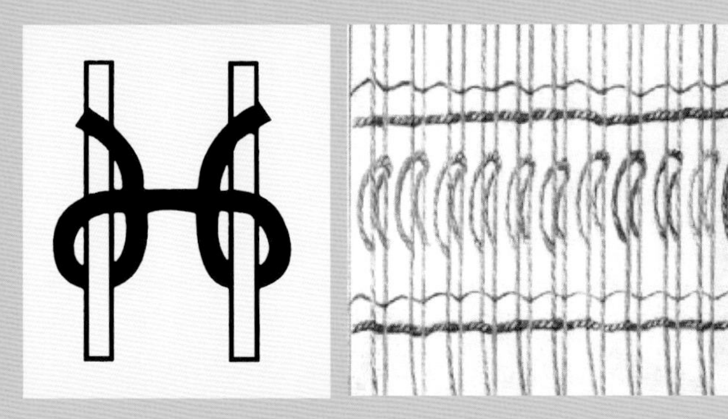

栽绒毯中的马蹄扣。
抽绞栽绒毯中的倒“8”字扣。

简单，但易于脱落，所以很快就被淘汰了。

“S”形扣的拴扣方法，现仅见新疆栽绒毯实例。新疆若羌米兰地区就曾发现“S”形结扣的栽绒毯。[2] 但此拴扣方法不结实，容易脱落，后渐被淘汰。至清代，新疆栽绒毯中已不见“S”形拴扣法，而主要采用“8”字扣，另有少量采用“单结扣”方法。

单结扣的拴扣法也很简单，即用一定长度的毛纱对折，将双头绕过经线穿入毛纱另一端的活套内，系紧。这种拴扣法亦仅见于新疆栽绒毯实例。清晚期新疆栽绒毯中仍有施以“单结扣”的栽绒毯。

马蹄扣的拴扣方法早在两汉时期就已被应用到栽绒毯的编织中。至清代，西藏、青海仍采用此法拴扣。此扣拴结法是毛纱从前经线穿入，绕过后经线，再从前经线后下方穿出、系紧，经线上留下一个形如马蹄的毛纱扣。此扣最大的优点是，一个毛纱结上的两个毛纱头以对称的方式缠绕在经线上，使之更加牢固，为其他方法所不及。

“8”字扣的拴扣法是在两宋以后开始流行的。清代，北京、甘肃、蒙古、新疆等地栽绒毯仍采用此拴扣法。缠绕法是在平行状态的前后两根经线上，用毛纱从前经的左下方往右上方缠绕一圈，然后使毛纱头从后经的右侧穿过，再从左侧返回前方，以形成一个形似“8”字拴扣。栽绒毯的“8”字分正“8”字形与倒“8”字两种。因清代的栽绒毯采用抽绞技术，所以栽绒结均呈倒“8”字形。

连环扣又称“手捧缠”，是西藏、青海等地流行的有一种拴扣方法。此法是用毛纱以正“8”字形，缠绕在一根圆棍上，待一组织完，再用刀具将圆辊上缠饶的正扣割开，使之形成栽绒面。以这种方法编织的栽绒毯，特点是：前一个毛纱结的“8”字底部和后一个毛纱结的“8”字前部在同一对经线上。故毯背编织纹路整齐划一，同等时间内栽绒效率高，且可节约原料。这是普通抽绞地拴倒“8”字扣，所不能比拟的。时至今日，青海编织的栽绒毯依然采用此种拴扣法。

边经

边经系指栽绒毯左右由经线所形成的两条边，在编织过程中需对其进行特殊处理。在形同“8”字扣的栽绒结下，一般需两条过纬线加以固定，每至边经时则用毛纱作缠绕处理，以有效地保证临近的栽绒结免于脱落。由于在传统手工编织栽绒毯中有明显的地域性，故边经形式表现不一，大致有如下数种：

滚边形在新疆、甘肃、北京民间等栽绒毯均为滚边，此种边经是将过纬线围绕着边经线缠绕而成，形同圆棍状。

人字边形在宁夏毯均为人字形边。此种边经在处理上，预先留出多则二至三根经线，少则一根经线，并用过纬线沿经线横向盘绕，最后到达最外边经时缠绕，然后返回。如此反复，从而在边经处形成人字纹的毯边。

平纹宽边形在蒙古毯均为平纹宽边。这种边经在处理上，也是预留出数根经线，用过纬线与预留的若干根经线，以平纹的工艺交叉编织，至最外边的经线时，缠绕后返回。由此，在栽绒毯的边经上，留下平纹的宽边。

单上边形在西藏地毯一般不做撩边处理，而是在单上边的边经，事先缠成滚边状，当栽绒毯编织到边缘时，在

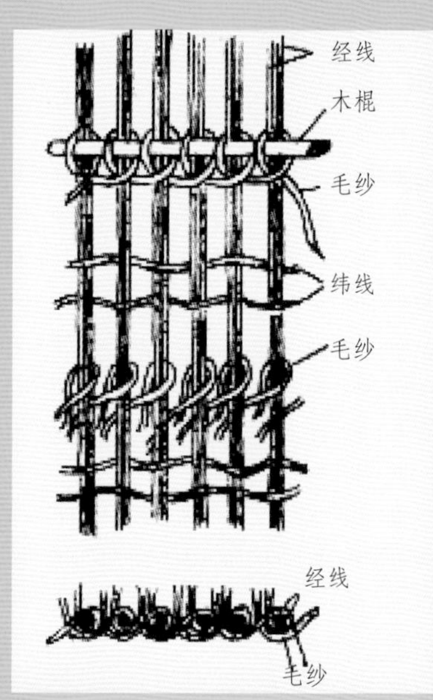

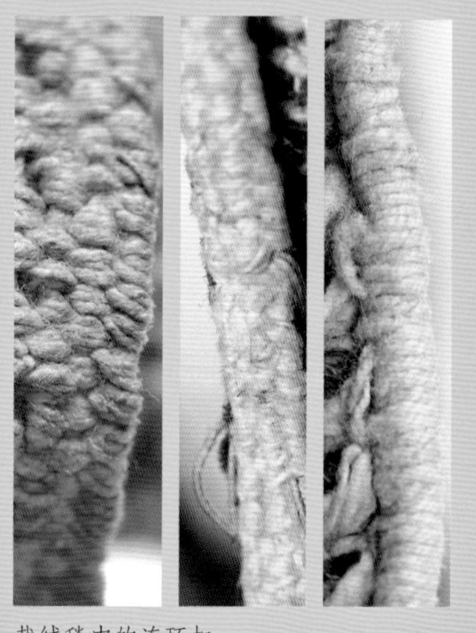

栽绒毯中的连环扣。
清代新疆毯中的滚边。
清代宁夏毯中的人字纹边。
清代漠南蒙古毯中的平纹宽边。
清代西藏、清初北京毯中的单上边。

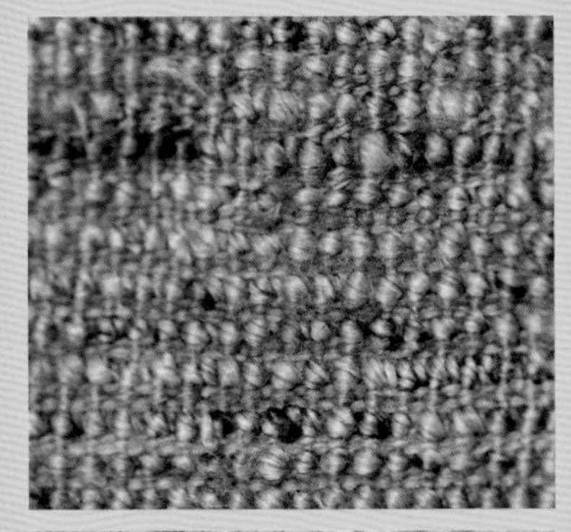

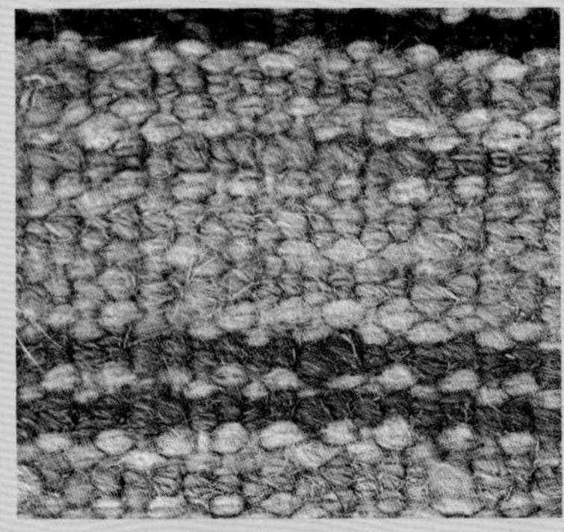

清代新疆栽绒毯毯背的过纬线。
清代蒙古栽绒毯毯背的过纬线。
清代宁夏栽绒毯毯背的过纬线。
清晚期北京栽绒毯毯背的过纬线。

等距内以纬线缠绕滚边，形成一条单上的边经。此边经的最大特点是，经边除缠绕点外，其余是断开的。

过纬线

过纬线是指栽绒毯拴扣后，以纬线固定栽绒结，在毯背上留下两行（或三行）横向走势而上下相互交叉的细纬纹路。由于受传统工艺的制约，同时也是当地对用料——棉线、丝线的加工技术的制约所致，所以栽绒毯的过纬线在毯背上呈现出明显的地域特征，成为今天我们区分栽绒毯产地的重要手段之一。

新疆栽绒毯过纬线采用丝线、棉线，有时也用驼毛，这些线因未加捻而呈现散、平状，与该毯的丝、毛线拴扣结的密度基本相同，因此，毯背平整。无凸凹感是新疆栽绒毯过纬线的重要特征。

蒙古栽绒毯的过纬线，大多采用棉线。棉纬线的纺织较细，而蒙古栽绒毯拴扣多采用毛线，相对较粗。粗细线在织造拉力的作用下，粗毛线结饱满而凸出毯背，细棉纬却深埋于栽绒扣平面以下。所以，蒙古栽绒毯得过纬线不甚明显，有时在毯背的局部甚至会产生没有过纬线的错觉。

宁夏毯的过纬线亦多采用棉线，但股数较多，多则七股和为一根，少也四股合为一根，且棉线纤维长，有很好的蓬松度，所以线径粗。以两根粗的棉线固定绒扣，往往在毯背上留下明显的双道纬线，有时甚至其宽度与栽绒结基本相等。此种现象仅在宁夏栽绒毯中见到，也是鉴定其产地的重要标准之一。

北京毯（出自民间织造物）的过纬线，棉线极细，与机纺的细毛纱有效结合，因而毯背平整，也由此与其他地区的栽绒毯过纬线不同。

3. 原料加工

栽绒毯涉及的原料有棉纱、毛纱、丝线以及盘金银线等。这些原料不仅因材质不同而加工法各异，而形成不同的特点。即使是相同材质的原料，也因地区的传统手法不同而使成品风格大相径庭。

毛纱、棉纱的加工

指将毛、棉的纤维进行纺制成纱，也称为线。经纺制棉、毛线有两种捻向，顺时针捻成为“Z”形、逆时针捻成的为“S”形。这两种捻向只是基本方法。加工过程中，根据需要，两种捻向可并用。以清初宫内编织的大栽绒毯为例，经抽样调查显示，棉线多为二、三、四股构成，加捻中先以“Z”的方向合并，再以“S”合并捻成；毯中毛线纺制中多为二、三或四股构成，加捻中先以“Z”方向捻成，再以“S”方向合并成；丝线的纺制中则根数部固定，但捻向通常是“Z”的方向，再以“S”合并。有时还会出现两股“S”形的丝线再以“Z”的捻向合并为一股。古人在加工过程中，往往都是利用这两种基本的捻法复合，而加工出较复杂捻形的纱线。

原料纤维的捻向，往往反映一个地区栽绒毯编织的某些特定手法，从而可以探求该地栽绒毯编织的发展规律。如新疆出土的毛织物中，西汉初年，手工毛纱的纺捻一般为“Z”捻向，大约在东汉时期，出现了手摇木纺车，但加工纺织的线仍为“Z”捻向。[3]至清代，宫内来自新疆进贡栽绒毯的毛纱、丝线的捻向，大多数仍为“Z”捻向。重视毛、棉的纺织捻向，有助于了解某一地区栽绒毯原料加工术的特点，从而对一些实物产地的鉴定提供了重要的参考标准。但这种实际作用，仅限于手工捻制。至机纺线后因其捻向千篇一律，自然也就是去了应有的参考价值。

金银线的加工

凡施用的金银线，使用的皆为是圆金银线。金银线加工具体做法是，以金线的加工为例。先将纯度高的金制成极薄的金叶，然后将其架在油烟熏炼的“乌金纸”里，继续捶打 5 ~ 6 小时，使之成为金箔。通过“擢金”法，即按预定的尺度加以切划整齐，贴在上胶上礬的毛边纸上。再进行“砑金”，将金银纸磨光磨亮。再切割成金丝，成为片金。最后，以丝线为心，将片金包捻于其上，完成栽绒毯所需捻金线的制作。银线的加工与金线相同。

4. 毛纱染色

中国古代的染料，主要是植物与矿物两种。其中尤以植物染料为多，人们取植物的叶、梗、根、果精加工成为染料。如黄栌、栀子、槐花、郁金等染黄色；茜草、苏木、红花染红色；蓝草染蓝色；紫草染紫色；鼠李染绿色；乌拉叶染黑灰色；煤烟、狼尾草、鼠尾草、五倍子染黑色等。矿物染料中，如：赤矿铁、朱砂染红色等。

毛纱的染色过程极为复杂，除不同的颜料与染料，往往需要媒介染料，方能染出所需的色彩。如染红色时，不论用茜草或是红花，都需要铝盐类作媒染剂，方可染出红色调的银红、水红、绛红、猩红、大红等多达二十余种。在清代，仍然是家庭作坊式的织造方式，毛纱的染色法冠以“土染法”之称，染料往往就地取材，在长期的实践过程中，许多是家族都流传着自己独特的秘方。

矿物染料，更多地应用于画毛毯中。矿物染料主要有赤铁矿、朱砂（又名丹砂）、胡粉、白云母、墨、石墨、金银粉、金银箔、雄黄、雌黄、黄丹、双红胭脂等。

至清咸丰以后，外来洋化学染料不断增多，化学染色又分为媒介性、酸性、直接性、快靛性。尽管方法多，但使用起来方便、快捷，色彩艳丽，受到时人的欢迎。化学染料渐渐普及，逐步取代中国传统的毛纱的植物与矿物颜料。

清宫廷中大量官方、民间织造的地毯，在染色的环节中，不外乎应用上述几种方法，单就矿物颜料而言，当属宫廷中“平纹画花毛毯”中常用的颜料，这从侧面反映出宫内矿物颜料资源极为充足，也反映出宫廷毛毯施色法的特点。

二、毛呢毯工艺

以毛呢为毯，是清宫廷中用毯之大宗。毛呢类毯主要有两种，即粗呢与细呢，有甘肃、苏州以及西方织毛呢毯等。三大产区的用料、生产方式以及施色技巧方面各有不同。

1. 甘肃等地的平纹毯

平纹毯的原料为毛麻混纺粗毛纱与细棉纱。组织纹理显示为平纹，以白色棉线为经，彩色毛纱为纬，经纬线一上一下相互交织而成。因所用呢料有粗细之分，故毯面的毛纱完全将纬线覆盖，呈现出均匀的平纹。宫内的平纹毯，织造前的地色已预先染好，其成品为素色毯。进呈宫廷后再根据皇帝的旨意，由宫廷画家依图案施以绘画。大量藏品中的画面多仿西洋花纹，因此具有特殊的装饰效果。这类平纹毯，纹理粗犷，透气性能好，麻纤维利于耐潮气，毛纤维又有增温效果。所以，这类毯是宫廷木兰秋狝活动中必用之物，诸如蒙古包隔断毯、围墙毯等均可见到。另外，清宫室内、皇家园林殿宇的地面上也铺用此毯。

2. 苏州毯

苏州也承接为宫廷织造呢毯，所织品种有粗呢与细呢之分。清宫寝室的窗户毯、避暑山庄窗户毯等细呢毯，均由苏州织造。如乾隆帝就曾传旨：“照花毯上花样按热河延薰山馆窗户尺寸画样呈览，准时连花毯一并发往苏州，照样织做。”[4] 用于窗户上的毛毯，花纹要华美，质地要细腻，重量要轻，以符合欣赏、悬挂。所以这类毯应为细呢，也即仿西方哆罗呢的毛织物。

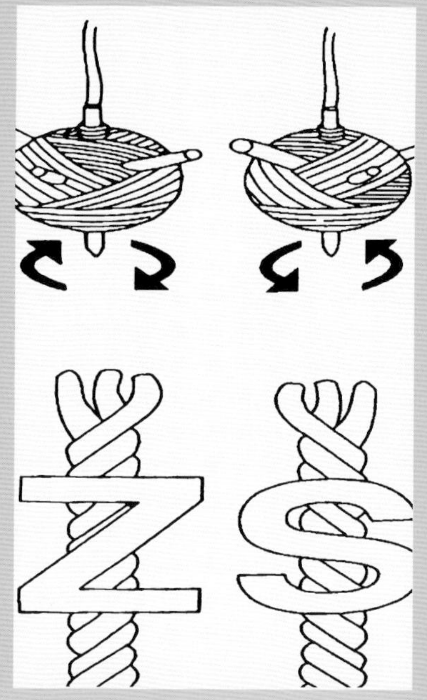

栽绒毯中的捻线“Z”形。
栽绒毯中的捻线“S”形。
栽绒毯中的盘金银线图。
清代平纹画花毛毯纹饰图。

清人画《弘历阅贯跤图》(局部)中宝座下铺设的平纹黄地印花毛毯毯边。

平纹白地画洋花毯(局部)。

哆罗呢多色印花毯(局部)。

苏州生产的粗呢毯，组织纹理以平纹为主。乾隆年间档案中记载:“新建水法四面俱用苏州织来白毯子，照原来西洋毯子着郎世宁等仿画。”[5]文中提到的白毯，即属于粗呢类毯。故宫博物院现藏粗呢白地画西洋花卉毛毯，当为苏州粗呢类织造物。用料仍为麻毛混纺，毯子的最大特点是西洋人根据皇帝旨意设计的画稿，施彩绘画后，成就地毯异常的装饰效果，可与同期的俏美花纹洋毯相媲美。

3. 西方毛呢毯

宫内所藏的西方毛呢毯，其工艺特点主要表现在织物的纹理、印花技术、染色等方面。当年英国、法国、意大利、荷兰等国织造的哆罗呢毯。此类毯组织结构大多为平纹，少数为斜纹。平纹组织，是指织经纬线一上一下相互交织的织造方法。斜纹组织，是指经纬线相交构成斜线的织造方法。这些带有纹理的呢制品，还要进行捯毛的再加工，使之呢面上覆一层绒毛，手感蓬松柔软。整套工艺俱为机器完成。

西方毛呢毯中印染花纹的技术，以英国为例，主要是木板印花与滚筒印花技术。前者是用木板模在素色的画布上，印制单一颜色的花纹。滚筒印花的技术含量高于木板印花。滚筒印花的机器是由苏格兰人托马斯·倍尔于1783年发明的，并获得技术专利权。最初，这种印花机器功能有限，只能印染单色的花纹。至1830年，因开发出“滚筒网纹”的雕刻技术，所以在印染中以由原来的单色印花，增至两三种颜色，可印出红、黑、褐颜色的花纹。

在1810年以前，西方染料的原料以植物为主，诸如靛蓝、柠檬黄、品红等。经过法国、英国化学工作者的努力，发现了许多矿物燃料。1856年，生产出了“合成染料”——苯胺紫红，自此，传统施色得到根本变化，所染色彩越来越丰富，也越来越艳丽。

从清宫几大类毯的工艺特点可知，清代织毯技术，在保留传统的同时，也不断加以创新，并注意汲取西方的艺术装饰要素，使之与中国传统的构图完美的结合。正是这些有益的尝试，大大增加了宫廷毯的品种，提高了清代制毯技艺。

注释

[1] 天津市地毯公司专业教材编写委员会编:《手工栽绒地毯教科书》。
[2][3] 和阗地区文管所编著:《于阗》，新疆美术出版社，2004年。
[4] 中国第一历史档案馆编:《清宫热河档案》第三册。
[5] 中国第一历史档案馆编:《圆明园》下册。

图版索引

后 记

苑洪琪　刘宝建

在故宫博物院珍藏的百万件文物中，毯类文物虽不甚众，却是极为重要的一部分。精美的纹饰、艳丽的色彩和厚厚的、柔软的毛织毯面，有美化环境、御寒保暖的双重功能；正方、长方、异形等各类毯，尺寸、形状各异，又是研究宫廷生活史的重要文物资料。然而，在故宫编辑出版的多门类、多质地的艺术品研究专著和图录中，有关毯类文物的书却是空白。20世纪90年代，我院编辑出版的“故宫博物院藏文物珍品全集”（六十卷），几乎囊括了各门类文物，却唯独没有毯类文物。

故宫博物院现藏毯类文物（地毯、炕毯、壁毯及其他多种用途的毯）一千多件，其时代之早，保存之完整，在世界上亦首屈一指。目前故宫毯类藏品分地下、地上两种库房保管。地下库房保管的是比较整齐、洁净，尺码在30平米以内的地毯，统一存放在铁柜内。另一部分是在民国年间，将清代各宫殿铺用过的大型毯，也有淘汰下来的破损残件，由于当时使用之后没有经过清洗、保养，不宜存放地库，统放在地上库房保管。这部分大型毯因尺码大（一块毯子卷起来直径六七十厘米），动辄二三百斤，没有足够的人力是无法搬动的，就是打开看看都很困难。因此每块地毯的尺寸、纹样和颜色的资料信息也十分有限，加上长期以来毯类文物未能得到相应的重视，对清代宫廷用毯情况及毯类文物的工艺研究也十分薄弱。

清朝是距今最近的一个朝代，现存毯多为清代不同时期在各宫殿内铺用的文物，亦有一二百年的历史了，保存至今，实为珍贵。故宫所藏毯类文物以丝、麻、棉为经纬线，经过植物、矿物染料染色的毛线织的栽绒毛毯，经使用、踩踏日久，毯面受到磨损，加之空气温湿影响自然腐蚀，或护理不当生虫、土浸，很难保存。但对宫廷历史研究者来说，宫廷中留下的大量使用过的毯类文物，不仅有着极大的吸引力，而且有着不可推卸的责任。由于各项工作交错进行，这批文物的整理工作迟迟没有提上日程。

一个偶然的机会，加速了这项工作的进程。那是2000年初夏的一天，院领导让宫廷部接待英国研究古地毯专家麦克先生（Michael Frances）。麦克先生是英国伦敦《Hali》杂志的出版人，对丝织、毛织物有很深的研究，尤其对中国古地毯研究如痴如狂，他在论著中曾说过：“在所有地毯中，古典中式地毯是最完美的地毯之一。”他不仅个人收藏了相当数量的中国古地毯，还走遍世界，搜集中国古地毯及有关出版物中中国古地毯的资料，希望出版一部世界范围内的中国古地毯著作。此次他来中国前，通过电传给我院传真一份访谈内容，其中一部分是复印我院、沈阳故宫博物院和承德避暑山庄等近年的出版物中有铺地毯的宫殿内景照片。当我按复印件上的图样陪同他观摩三大殿、乾清宫、养心殿等十七处宫殿的地毯时，他又提出索要这些地毯的产地、纹饰、颜色、编织许多技术等问题的详情。我告诉他，上述几处宫殿内铺的地毯是1993年的仿制品。毛织品受季节性潮湿、紫外线、尘土等影响，容易褪色、生虫等，因此故宫陈列展览中的地毯渐由仿织品替换。他听后迫不及待地追问：“十七件地毯的原件在哪里？这十七件皇宫铺过的地毯太珍贵了！”我又告诉他，“原件收藏在地毯库房。库房里收藏的清代宫廷铺用过的地毯不仅这‘十七’件，而是‘十’与‘七’颠倒过来的数字——七十多件”。麦克听了，立刻瞪大了眼睛，不停地追问：“能让我看看吗？我一定要争取看到！”

按照院里规定的专家观摩文物程序，三天后又陪同麦克先生来到藏毯库房。没等到小土山似的毯堆露出真面目，他就迫不及待地跪在地上察看。他指着一块双龙地毯说，“这块是十七世纪的，背面的颜色、纹饰与众不同。具有很高的文物价值和艺术价值。”事后，他兴奋地给同行们打电话，说他在故宫博物院看到现存最完整的中国古地毯。

但麦克先生兴奋之余，马上皱紧眉头，神态严肃地说："这批地毯太珍贵了，需要改善收藏条件。"此后，他多次向故宫博物院领导说明抢救毛织物的重要性，并希望尽快改善地毯收藏条件。如果条件允许，可以从英国派技术人员帮助清洗、冷冻杀菌、消毒。

对于外国专家的建议，故宫博物院领导非常重视。2000年秋天，这批历史价值极高的宫廷毯终于得到晾晒、吸尘、熏蒸等保养，并进行了科学保存。在卷毯子时，毯面绒毛向外卷，里铺一层无酸纸隔离毯面与毯背，还在中心加一根杉篙做轴、最外层用无酸塑料包裹等保护措施。然后将毯子搬到相对干燥、通风条件较好的地面库房收藏，并定期晾晒、熏蒸。

在保养这批地毯过程中，我们发现宫廷毯类文物与其他所有文物一样，从生产地与编织特点、图案纹样与材料选择，都与清代经济发展、宫廷各项活动的举行及皇帝个人艺术修养紧密相连；地毯精致的编织技术和图案的富丽堂皇，记载着甘肃、宁夏、青海、内蒙古、西藏和新疆等不同的编织技术和艺术风格。加之清朝皇室贵族对毯的需求，织毯业日渐发达。这些毯因地区而异，藏式毯、新疆毯、宁夏毯、蒙古毯等，在编织、着色、选料，都带有明显的地域特色。尤其是许多地毯有不同程度的挖缺、凹凸等异形的痕迹，给我们留下了许多有待破解的"谜"。这些地毯曾铺于何地？又是在何种情况下使用？并由此萌发了我们要"知其然，更要知其所以然"的冲动，于是，我们将此作为一个课题系统研究，并得到了院方的支持。

但是，当系统地收集材料，研究分析文物之后，我们深深感到，要深入研究这一课题，甚为不易。"毯"虽然昂贵，但其御寒保暖功能决定了它是生活实用品，虽然工艺精美，具有很高的审美价值，但终归是铺在地面、踩在脚下，即使偶有挂于墙上作装饰品的，也并未像其他工艺品一样受到重视。因此，历史上毯类艺术研究的专著十分罕见，正史中有关用毯的文献资料和历史记载就更难寻觅。对于清代宫廷毯的使用情况，中国第一历史档案馆藏的《内务府造办处·活计档》中仅见只言片语，也极为分散、零碎，对于如何用毯则没有任何记载。尤其是一千多件毯类文物的编织技法、纹饰特点及所蕴含着独特而深厚历史文化内涵，更是我们今天研究中的大难题。

为此，在"史"与"物"研究中，进行了多方面的探索。

全面搜集史料，以零星文字记载、历史绘画、图像与文物相互佐证，是我们解决难题的重要途径之一。全面多渠道地搜集文献资料，不仅在正史中搜集材料，更重要的是在各种类书、文人笔记、清宫档案、宫廷绘画中广搜资料。如故宫藏明清帝后朝服像和历史题材的大型宫廷绘画中，都有一些宫廷用毯的描绘，从中了解到不同环境、不同场所使用不同纹饰的地毯。但是宫廷绘画中所能看到的，仅限于宫殿用毯的一个小小的局部，毯的纹饰及铺用方式难以反映。因此，我们遍查史料，终于在清末拍摄的"清代皇室写真"照片集中，找到了太和、中和、保和三大殿在清代殿内满铺地毯的图片，解决了礼朝宫殿用毯情况。

实地考察破解异形毯使用之谜。对于现存的众多"异形毯"的使用情况，我们将其缺口的尺寸、挖圆的位置逐一登记、草绘记录，用实地考察与核实地毯尺码的方法，为这些异形毯寻找当年铺设的位置。如太和殿宝座台下"木红地双龙栽绒地毯"、中和殿宝座台上的"木红地正龙栽绒地毯"、交泰殿地平台用的"木红地双鸾凤栽绒地毯"、清晚期皇极殿慈禧六十岁生日时用的"黄地万福万寿大地毯"、储秀宫内"西洋纹饰机织拼接地毯"等，都是经过核对地平、台阶缺口及陈设物印迹确定的。

为解决宫廷藏毯的产地风格、编织特点及毛纱染色（采用矿物染料、植物染料）等疑难问题，我们曾多次采取走出学习、专业交流形式，提高专业知识。到历史上盛产地毯、至今还保留着手工编织技术的青海（兰州定远镇、武威）、陕西（榆林）、宁夏、甘肃、内蒙古、新疆（喀什、莎车、和阗、洛浦）及北京地毯五厂、北京徐氏地毯公司等考察、学习毯纹的设计，与编织师傅共同探讨、分析经纬线的合成，栽绒拴扣的方法，提供实物。特别是我们有幸到北京地毯五厂复原清代盘金银地毯的编织现场，亲眼见到了一度失传的盘金银地毯的编织工艺。由于我们认真求教于专家、学者以及专业人员，使我们对地毯的发展历史、纹饰的演变有了深刻的认识，不断地掌握各类毯的产地和工艺特点，为我们的研究奠定坚实的基础。此外，2005年，应德国科隆东亚艺术馆邀请，我们参加了“东方的毯艺术”国际学术研讨会，美国、德国、英国、俄罗斯、日本等地毯专家对中国古毯的重视、关注和精到的研究成果，使我们获益匪浅。

经过数年的艰辛工作，经过对现存院藏宫廷毯实物的分析、对比、测量，我们面对故宫中千余件毯类文物藏品不再陌生，能够把握其类别、产地及编织特点，并掌握了宫廷毯的作用、功能与其编织特色、工艺技术等。同时也感到与社会上流传的有限的几本书籍记载的宫廷地毯多有不符，如社会上流传的宫廷地毯与民间地毯的区别，是“麻经麻纬”的传说，实际上宫廷地毯为丝径、丝纬。再如：国内外的拍卖市场和古旧地毯的市场上将“某某宫殿御用”毯，讹传为皇家用物，以至于身价百倍。其实宫廷用毯品种多样、色彩丰富、产地广泛、纹样寓意深刻，铺用有章可循，无须在毯边编织殿名。市场中出现的带有“殿名毯”的纯属民国时期的织物，与当年清宫廷用毯毫无关系。这些都让我们再次感受到这一课题的重要性和特殊意义。

本书付梓之际，回望八年辛路历程，感慨良多。在编写过程中，我们得到了许多人的帮助。前辈黄能馥先生多次向我们提供自己珍藏的相关图片与历史资料，并时时鼓励我们将研究深入下去。黄老的支持和无私帮助，让我们感动。此外，北京地毯五厂的方安保先生、北京市工艺美术大师，宫毯第四代传人康玉生、北京徐氏地毯公司徐彩春先生也为我们提供了很多帮助。本书图片拍摄得到院信息中心鼎力相助，摄影者田明洁耗时拍片不辞辛苦，宫廷部生活文物科的刘宝建、王慧、付超、万秀锋，承担了遴选文物、提供尺寸、配合照相以及撰写文物说明等繁杂工作，陈晓东先生为该书部分文字润色。另外，紫禁城出版社为该书出版给予了大力支持，责任编辑徐小燕女士付出了辛勤劳动，在此一并感谢。

囿于学识，书中难免存在疏漏或错误之处，尚请方家批评指正。本书旨在抛砖引玉，希望得到学界广泛的重视、讨论，以便对这一课题展开更深入、广泛的研究。

出版后记

《故宫经典》是从故宫博物院数十年来行世的重要图录中，为时下俊彦、雅士修订再版的图录丛书。

故宫博物院建院八十余年，梓印书刊遍行天下，其中多有声名皎皎人皆瞩目之作，越数十年，目遇犹叹为观止，珍爱有加者大有人在；进而愿典藏于厅室，插架于书斋，观赏于案头者争先解囊，志在中鹄。

有鉴于此，为延伸博物馆典藏与展示珍贵文物的社会功能，本社选择已刊图录，如朱家溍主编《国宝》、于倬云主编《紫禁城宫殿》、王树卿等主编《清代宫廷生活》、杨新等主编《清代宫廷包装艺术》、古建部编《紫禁城宫殿建筑装饰——内檐装修图典》等，增删内容，调整篇幅，更换图片，统一开本，再次出版。唯形态已经全非，故不再蹈袭旧目，而另拟书名，既免于与前书混淆，以示尊重；亦便于赓续精华，以广传布。

故宫，泛指封建帝制时期旧日皇宫，特指为法自然，示皇威，体经载史，受天下养的明清北京宫城。经典，多属传统而备受尊崇的著作。

故宫经典，即集观赏与讲述为一身的故宫博物院宫殿建筑、典藏文物和各种经典图录，以俾化博物馆一时一地之展室陈列为广布民间之千万身纸本陈列。

一代人有一代人的认识。此番修订，选择故宫博物院重要图录出版，以延伸博物馆的社会功能，回报关爱故宫、关爱故宫博物院的天下有识之士。

2007 年 8 月